흥민 빌라 404

흥민 빌라 404

발 행 | 2024년 02월 21일
저 자 | 남킹
펴낸이 | 한건희
펴낸곳 | 주식회사 부크크
출판사등록 | 2014.07.15.(제2014-16호)
주 소 | 서울특별시 금천구 가산디지털1로 119 SK트윈타워 A동 305호
전 화 | 1670-8316
이메일 | info@bookk.co.kr

ISBN | 979-11-410-7305-3

흥민 빌라 404

404

남킹 범죄 소설

목차

마르 데페스에게 이 책을 바칩니다.

아침이 오면

빛이 새어 나오고 있다. 찬란한 빛. 밝음. 아침이 오는가 보다. 좋은 일이지. 빛은 항상 우리에게 뭐랄까? 희망, 긍정, 행복 같은 거를 주는 거잖아? 그렇지?

하지만 나는 솔직히 어둠을 좋아해. 왜냐고? 이유는 모르겠어. 그냥 그런 거야. 그렇게 태어난 거야. 마치 박쥐나 올빼미처럼. 그냥 어둠에 익숙해. 하지만 그렇다고 아침을 원망하지는 않아. 왜냐하면…. 아침이 와야 사람들이 깨어나 움직일 거고 그래야 거리가 부산해질 거고 그래야 그들을 지켜보는 재미가 생기거든.

그럼 너의 취미는 <사람 보기>인 거야?

그렇지. 사람 보기. 유심히 관찰하기. 유럽의 늙은이들이 히틀러 시절부터 하고 있다는 그 행위 있잖아. 베란다에서 멍 때리며, 혹은 에스프레소 한 모금 홀짝이며, 오가는 인간과 차와 말, 자전거와 유모차를 유심히 살피는 것. 그들과 비슷하다고 보면 될 거야. 나의 일상 말이야. 시간 보내기에 이만한 것이 없지. 나의 시간은 너도 잘 알잖아? 그냥 영원이야. 끝이 없지.

그럼 종일 집에만 있는 거야?

그렇지. 온종일 집에만 콕 틀어박혀 있지. 그래서 빛이 싫지만 반기는 거야. 은둔형 외톨이라고 해서 사람 만나는 것을 극도로 싫어하는 것은 아니거든. 원래 생명체는 태어나면서부터 만남과 이별, 증오와 그리움, 끌림과 반목을 교차하도록 설계가 되어 있으니까…. 나도 그런 거지. 벗어날 수가 없지. 다만 직접 사람을 만나는 것을 싫어할 뿐이지. 즉 머릿속으로만 만나는 거야. 상상이지.

예를 들면?

예를 들면 이런 거야.

어느 날 아침, 베란다에서, 지나가는 여학생을 봤지. 그녀는 어리고 여리고 가냘프고 청순해 보였어. 마치 내 첫사랑을 보는 것 같았어. 청순미의 끝판왕. 내 가슴의 영원한 낙인. 그녀는 급히 골목을 뛰어가더군. 나는 그녀를 불러 세우고 싶었지만 그러지는 않았어. 사실 그런 충동을 지금까지 많이 느꼈지만 한 번도 불러 본 적은 없어. 내가 얘기했잖아. 나는 직접 만나는 것은 싫어한다고.

그래서?

그래서 어떻게 했느냐고? 뭐, 그야 뻔하지. 그냥 상상하는 거지. 그녀의 삶. 그녀의 인생. 그녀의 고난과 행복, 그녀의 비밀과 세상에 드러남. 그녀의 과거와 현재, 미래 등등. 그래, 나는 늘 이런 식이지. 늘 숨어서 사람들을 관찰해. 마치 CCTV 같은 존재지. 따분하지 않냐고? 뭐, 따분할 때도 있고 재밌을 때도 가끔은 있어. 하지만 이젠 익숙해. 이렇게 지낸 지가 꽤 됐거든. 음…. 그러니까…. 대략 3년 정도 되었구나. 우리 흥민 빌라가 리모델링 한 게 딱 3년 되었으니까.

그럼, 여기서 3년 산 거야?

아냐. 일 년 더 살았어. 그러니까 나는 총 4년 살았지. 그전에는 어디에 있었냐고? 음…. 너에게 말하기는 좀 뭐한데…. 사실 여기로 오기 전에 감옥에 잠깐 있다가 나왔어.

감옥에? 몇 년 동안? 왜?

하나씩 물어봐. 대답하기 헷갈리잖아. 얼마 안 돼. 3년 선고받았는데 1년 반 만에 특사로 풀려났어. 운이 좋았지. 대통령 보궐 선거가 있었거든. 이전 대통령이 끼리끼리 꽤 많이 해 먹었는가 봐. 무슨 말인지 알지? 안 좋은 쪽으로…. 그러니 사람들이 그렇게 들고일어났겠지? 지구를 떠나라고. 아무튼 나는 그 덕분에 자유의 몸이 되었지.

죄목이 뭐냐고? 음…. 그게 그러니까…. 너에게 사실 말하기가 무척 쑥스러운데…. 그게…. 그러니까…. 성범죄야. 강간미수. 미안해. 너가 실망할 줄 알았어. 하지만 조금 억울한 면이 좀 있긴 있어. 그래. 사실이야. 강간하려고 했지만, 마지막에 꾹 참았거든. 정말이야. 초인적인 힘으로 나의 충동을 억제했어. 즉, 나의 이성이 강했던 거야. 혹은 미래에 펼쳐질 고난을 두려워했던가…. 아무튼 내게도 약간의 선한 면 혹은 약한 면 혹은 다르게 생각하는 강한 면 이 있다는 뜻이지.

무슨 말이야? 지금 횡설수설하는 것 같은데?

미안해. 과거 이야기는 늘 불편해서 그런 거야. 알잖아? 떨치려고 노력하면 할수록 껌딱지처럼 사방에 붙어다닌다는 거.

아무튼, 그래서? 그래서 어떻게 됐어?

그녀를 돌려보냈지. 그리고 나는 아무 일 없다는 듯이 운전대를 다시 잡았지. 택시 운전을 했거든. 야간에만. 내가 얘기했잖아. 나는 어둠을 좋아한다고.

그런데 어떻게 잡혔냐고? 당연히 그녀가 신고했으니까 잡혔지. 나는 신고 안 할 줄 알았는데 보기보다 무척 악랄한 여자였어. 그래 그녀는 틀림없이 악녀였어.

악녀라고? 그녀는 강간당한 거잖아? 아니 강간당할 뻔한 거잖아? 그런데 왜 악녀라고?

그건 그럴만한 이유가 있어. 그러니까…. 음…. 그녀가 먼저 유혹했거든. 내 말은 사실이야. 블랙박스에 고스란히 담겨 있어. 그녀가 어떤 상태로 내 차에 탔고 어떤 말을 했고 어떻게 그녀의 젖가슴을 내게 들이밀었는지. 그러니 나는 억울하다고 하는 거야. 정말이지 그녀의 술수에 넘어간 거야.

결국 그 여자는 술 먹고 새벽에 너를 유혹한 거구나?

그렇지. 그런 거지. 그런데 나의 몸뿐만이 아니었어. 내가 밤새 번 내 돈까지 탐하더군.

그래서 어떻게 했냐고? 온라인에 뿌렸지. 동영상 말이야. 결과는 대박이었지. 삽시간에 수백만 조회 수를 기록한 거 있지. 아마 천만 영화보다 그 뭐더라? 이순신 장군 나오는 거? 신에게는 아직 12척의 배가 있다고 했던가? 아무튼 그 영화보다 내 것이 더 빠르게 퍼졌을 거야. 생각해봐! 얼마나 멋지고 짜릿한 일이야! 내가 주인공으로 등장하는 영화 같은 다큐멘터리가 세상 끝까지 무한히 번지고 있다고…. 정말 짜릿하지 않아?

그래서 그 동영상이 너의 재판에 도움이 된 거야? 아니. 그 반대야. 판사의 분노만 샀지. 왜냐면 가장 결정적인 돈 이야기를 그녀가 꺼내기 전 나의 블랙박스를 그 사악한 년이 뜯어 버린 거 있지. 그러고는 자기는 술이 떡이 되어서 아무것도 생각나지 않는다고 발뺌한 거야. 그러니 내가 고스란히 뒤집어쓴 거고. 하지만 우리 변호사가 똑똑해서 양형 거래를 한 거지. 그래서 그렇게 된 거야.

불행 중 다행이네.

그렇지. 그만한 게 다행이지. 요즈음같이 무서운 세상에…. 다만, 한가지, 성범죄자에게 주어지는 주홍글씨가 출소 후에도 내가 집에 틀어박힐 수밖에 없는 수단이 되고 말았어.

주홍글씨?

그래, 그거. 전자발찌. 이거 차고는 아무 데도 갈 수 없어. 놀라운 과학 기술. 이런 날이 올 줄은 몰랐을 거야. 인공위성이 나를 졸졸 따라다닌다는 거. 그래. GPS. 나의 일거수일투족은 늘 경찰본부 모니터에 빨간 점으로 표시되지. 그러니 내가 뭘 할 수 있겠어? 그냥 집에 콕 박혀 베란다에서 바라보는 세상이나 구경하는 거지.

내가 한 가지 재밌는, 나에 관한 사실 알려줄까?

응, 그래. 뭔데?

사실 나는 범죄 관련하여 악연이 많은 사람이야. 정말이지 재수가 더럽게 없는 인간인 셈이지. 내가 뜻하지도 않았는데, 그냥 운명적으로 혹은 우연히 그런 몹쓸 일에 휘말리게 된 거야. 궁금하지?

그렇게 자꾸 질문 식으로 말하지 말고 그냥 말을 해. 너는 그게 항상 문제야. 그냥 네가 말하고 싶고 자랑하고 싶고 떠벌리고 싶은 것을 그냥 말하면 될 것을…. 항상 입이 근질근질하잖아. 맞지? 그래, 그러니 그냥 말을 해! 꼭 상대방에게 질문을 던지면서 시작하는 거…. 그거 정말 나쁜 버릇이야.

알았어. 그럼 말할게. 미안해. 오랜만에 너를 보니 그냥 옛날 습관이 나와서 그런 거야. 이해해.

오랜만이라니? 무슨 귀신 씻나락 까먹는 소리를 해? 줄곧 네 곁에 붙어 있었잖아. 너는 404호. 나는 504호. 천장 너머 내가 있고 바닥 넘어 너가 있는데…. 뭘 오랜만이라는 거야?

아무튼 우리가 이렇게 마주 보고 이야기하는 거는 꽤 오래전이잖아. 나는 그 얘기야.

그건, 너가 우울증에 빠져 꼼짝도 안 하고 구석에만 처박혀 있었으니까 그런 거지.

그래, 알았어. 미안해. 너 마음 충분히 알고 있어. 이 세상에 마음 터놓고 이렇게 마주 보며 서로의 이야기를 나눌 친구는 이제 우리 둘뿐인 거…. 나도 잘 알지. 아무튼 미안해. 그동안 외롭게 해서.

됐어. 지금이라도 너가 이렇게 나타났잖아. 그럼 된 거지. 뭐. 그래, 아무튼 너의 이야기 계속해봐. 어떻게 되었다고?

하지만 우선, 이 이야기를 하기 전 나에 대하여 잠깐 기술하고 넘어갈게.

사실 나는 숙맥이야. 말더듬이기도 하고. 물론 얼굴이야 좀 곱상하게 미남형이라고 다들 그러지만, 여자 앞에서 그 흔한 인사조차 하지 못할 정도였어. 그러니 학창시절 연애는 꿈도 못 꾸었지. 그저 짝사랑 몇 번 하다가 끝난 게 다야.

너도 나만큼 불쌍한 인간이구나. 하지만 내가 보기에, 내가 만약 너 정도의 허우대만 갖추었다면 여자 걱정은 안 하고 살았을 것 같은데….

고마워. 빈말이라도 그렇게 말해줬어.

아냐. 진심이야. 너가 워낙 안 꾸며서 그렇지! 본바탕은 차은우 못지않아. 진심이야.

뭐, 사실, 가끔 내게 대시하는 여학생이 있긴 있었어. 하지만 꾸어다 놓은 보릿자루처럼 종일 말 없는 남자를 좋아하는 여자는 이 세상에 단연코 단 한 명도 없지. 암, 그렇고말고.

아! 그러고 보니 잠깐, 한가지가 생각난다. 이건 중요한 일이야. 꼭 너에게 자랑하고 싶은 일이지. 나의 학창시절을 통틀어 가장 기이하고 짜릿했던 그 날. 그래! 이이야기를 하지 않을 수가 없지. 너에게 꼭 들려주고 싶은 이야기. 보자 그러니까 그날이 언제였나? 틀림없이 군대 가기 전이었어. 왜냐하면 군 생활 내내 그날을 곱씹었거든. 아무튼 그날. 무슨 일인지는 모르겠지만 하여튼 그날. 나는 모처럼 만에 정장을 쫙 빼입고 외출했어. 아마 내가 정장 차림을 한 것은 신입생 환영회 이후 처음일 거야, 마저. 틀림없이 그랬어. 왜냐하면 처음 정장을 입었을 때는 헐렁하다고 느꼈는데 그날 옷을 입는데 조인다는 느낌을 받았거든. 살이 그만큼 찐 거지. 그만큼 즐겁고 행복한 대학 생활을 했다는 방증이기도 하고…. 아마 내 생에 가장 좋았던 순간을 그때뿐이었을 거야.

아무튼 나는 제법 멋진 모습으로 버스를 탔지. 승객이 꽤 많았어. 당연히 서서 갔지. 그런데 어느 순간부터 세한 느낌이 내 손에 전해지는 거 있지. 뭔가가 이상했어.

그래서 가만히 버스 기둥을 잡은 내 손을 쳐다보니…. 하하하…. 어떤 여학생의 손이 자꾸 내려와 나와 부딪히는 거야. 자자 자. 이 상황을 한번 속으로 그려봐 봐! 나는 지금도 그 순간이 막 떠오르거든. 버스 기둥을 잡은 내 손. 그 손 위에 하얗고 조그마한 손이 차츰차츰 내려오다가 내 손과 닿으면 다시 올라가는 거야. 그러고는 다시 조금씩 아주 조금씩 내려와 다시 내 손과 닿는 거지. 어때? 상상되지?

그래, 그녀는 의도적으로 그런 행위를 하는 거야. 즉, 주체할 수 없을 정도로 내게 빠져 있다는 증거이기도 하지. 나는 평소에 옷을 더럽게 못 입는 편이야. 아니 아예 신경도 안 쓰지. 내가 생각하는 옷의 개념은 단 하나야. 보온용. 그러니 어디 외출할 때면 먼저 눈에 띄는 아무거나 입고 돌아다니지. 즉, 늘 후줄근하거나 밋밋하지. 이런 타입의 인간이 딱 한 가지 빛을 발하는 순간이 있는데 그때가 언제인지 알아? 그래, 그거야. 어느 날 갑자기 친구나 친척, 혹은 지인들 앞에 바로 쫙 빼입고 나타날 때지. 그러면 주변 사람들은 모두 화들짝 놀라

감탄을 금치 못하지.

"와! 하마터면 몰라볼 뻔했다!"

"와! 이게 누구 신가? 내가 알던 그 사람, 마저?"

"와! 숨겨진 비경이 따로 없네!"

나는 그날 내 옆에 서 있는 그 여학생을 통해 순간적으로 치밀어오르는 자신감을 느꼈지. 즉, 나를 쳐다보는 모든 이의 시선에는 같은 느낌이 배어있는 거지.

"와! 정말 잘생겼다!"

나는 당당하게 버스에서 내렸어. 아니나 다를까 그녀가 몇 걸음 뒤에서 따라 오더군. 나는 쾌재를 불렀지. 물론 그녀는 내 유형은 아니었어. 뭐랄까. 한마디로 말하자면 못생겼어. 크고 둥근 안경을 쓰고 입, 코, 눈이 모두 작았어. 키도 작고 가슴도 밋밋했지. 하지만 나는, 하늘이 주신 다시 없을 절호의 기회라고 생각했어. 바로 성적 호기심 말이야.

너도 한번 생각해봐! 눈부신 이십 대잖아! 질풍노도의 시기! 치마만 스쳐도 불끈불끈 아랫도리가 발광하던 그런 시기잖아! 하지만 내 신세가 그때까지 어떠했는지는 내가 말했잖아. 비참했지. 여자 친구가 없는 극소수의 좀생이 대학생. 바로 나지. 내 친구들은 만났다 하면 지난밤을 스쳐 간 황홀했던 정사에 대해 침을 튀기며 자랑하던 그 고통의 순간을 입술을 잘근잘근 씹으며 견뎌야 했던 그 시절이었단 말이야. 그러니 내가 어떠했겠어?

굳은 결심을 했지. 꼭 저 여인을 잡아야 한다! 누가 뭐래도 이번에는 꼭 총각 딱지를 떼야만 한다! 그래서 나는 가던 길을 멈추고 가방에서 노트를 꺼내 몇 글자를 적은 뒤 종이를 찢어 그녀에게 건넸지. 그녀는 냉큼 받을 줄 알았는데 약간 주춤거리더군. 평소의 나라면 틀림없이 그 자리에서 물러났을 거야. 암 그러고도 남을 위인이지. 소크라테스 할아버지의 말씀대로 나는 나 자신을 잘 알거든. 하지만 그날은 달랐어. 원인을 알 수 없는 강한 자신감이 나의 통제를 벗어났거든. 세상의 모든 여인이 나를 끔찍이 좋아하는 것이 틀림없다는 심한 착각을 품을 수밖에 없게 만든 멋지고 광택 나는 정장. 나는 당당하게 그녀의 앙증맞은 손을 잡고 나의 쪽지를 건넸지.

물론 그 쪽지에는 약속 장소와 시간이 적혀있지. <디토텐> 카페 일 층. 저녁 7시. 나는 일 층에다 밑줄을 쫙 그었지. 왜냐하면 그 카페는 모두 4층으로 이루어져 있거든. 즉, 모든 층이 카페인 거지. 내가 그 카페로 정한 이유는 간단해. 친구에게서 들은 정보가 있거든. 일 층은 그냥 개방된 보통의 카페야. 뭐, 스타벅스 같은 곳이지. 2층은 약간의 칸막이가 있고 파스타 같은 음식과 맥주, 칵테일 정도를 음미할 수 있지. 인테리어 조명이 있고 일 층에 비하면 약간 어두운 편이지. 3층으로 올라가면 조명은 더욱 어두워지고 칸막이는 더욱 촘촘해지지. 양주와 안주가 제공되지. 음악은 크고 신나지. 그리고 마지막 4층. 그래 너가 생각하는 바로 그거야. 완전히 밀폐

된 공간. 음악은 끈적끈적하지. 중저음의 색소폰이 은은하게 각각의 공간을 감싸며 흘러내리지.

마저. 너가 상상하는 그것. 과도한 스킨십으로 이끄는 황홀한 칸막이. 만약 너가 1, 2, 3층을 모두 거쳐 이곳까지 올라왔다면 너는 알코올이 증폭한 본능에 중독된 채 헬렐레하며 그녀의 피부에 집착하는 한 마리 귀여운 범고래로 변신해 있음을 느낄 거야.

그리고 그날. 그래. 내가 자신 있게 말했잖아. 내 학창 시절을 통틀어 가장 기이하고 짜릿했던 그 날이라고. 자정 알람이 은은히 메아리치던 그 순간 우리는 칸막이가 주는 안락함에 젖어 뜨겁게 서로의 혀를 탐닉하고 있었지. 그리고 모텔로 향했지. 당연한 절차 아니겠어? 나는 비로소, 마침내 내 친구들이 그렇게 입이 마르게 자랑하던, 그동안 내 귀에 대고 고통의 망치질을 해 마침내 내 영혼까지 멍들게 했던, 그 러브모텔의 내부를 내 두 눈으로 똑똑히 관찰했지. 아! 정말이지, 그 황홀함! 지금도 그날을 생각하면 온몸이 후드득 떨려. 내 안의 주홍글씨. 거추장스럽기 짝이 없는 그 총각 띠를 마침내 뗀 거지.

나는 그때를 표현한 가장 멋진 것을 알고 있어. 이것과 아주 흡사하지. 이효석의 그 유명한 단편소설 <메밀꽃 필 무렵>. 그래, 바로 그거와 아주 흡사해. 장돌뱅이 허 생원이 주야장천 이야기하고 회상하는 바로 그것. 첫 경험. 세상을 다 가진 그 쾌락의 꼭짓점. 비로소 제대로 된 인간으로 거듭났다는, 그 절정의 안도감. 나는 밤새도록 잠 한 숨자지 않고 그녀에게 아낌없이 내 모든 것을 다 주었지. 그리고 거의 산 송장이 된 채 숙소로 돌아온 나는 거의 사흘 정도를 누워있었지.

그 사흘 동안 내 속에 무슨 일이 일어났는지는 정확히 모르겠어. 아무튼 확실한 거는 하루하루가 갈수록 그녀에 대한 나의 끌림이 빠져나가고 있었다는 거지. 즉, 사흘째 되던 날 나는 그녀의 연락처를 휴지통에 버리고 말았지. 지금 생각해 보면 참 병신같은 짓이었어. 후회막급이지. 얼마든지 더 즐길 수도 있었는데. 그냥 그렇게 보내기에는 너무 아까웠었는데. 아무튼 그때는 그랬어. 뭐랄까 그냥 알 수 없는 자신감으로 꽉 차 있었어.

그런 거 있잖아. 산악 그랜드슬램 같은 거. 세계 8,000m급 14좌와 7대륙 최고봉, 세계 3극점을 모두 등반한 최고의 산악인. 하지만 그도 첫 등반에는 극도의 두려움을 느꼈을 거라는 거지. 하지만 생각보다 좋은 날씨, 훌륭한 가이드를 만나, 뜻한 것보다 손쉽게 등반에 성공했다면 그의 두 번째 등반은 자신감이 하늘을 찌를 수밖에 없을 거야. 나도 그런 거지. 의외로 쉽게 등반을 하자마자 간악함이 끝 간 데 없이 솟아올랐던 거지. 그래서 좀 더 멋지고 좀 더 기대치에 부응하고 좀 더 섹시한 여인을 만날 수 있을 거라는 허황한 믿음을 갖게 되는 거지.

지금 생각해 보면 그래. 그때 그 여자에게 만족하고 그냥 평범한 인생을 살았으면 어땠을까? 하고. 그랬으면 내 인생은, 어찌 보면 좀 지루하거나 심심했을 수는 있었겠지만, 지금처럼 성범죄 전과자로 낙인찍힌 밑바닥 인생을 살지는 않았을 거라는 거지. 하지만 어쩌겠어. 모든 가치 있는 순간은 오랜 시간이 흐른 뒤에야 비로소 깨닫게 되는 법. 그러니 그게 인생이지. 삶이 모범 답안처럼 그렇게 깍듯하고 반듯하게 구성되어 있다면 그건 인간의 인생이 아니지. 그냥 머스크 형님이 말씀하신 데로 그건 그냥 시뮬레이션 된 세상의 꼭두각시일 뿐이지. 암, 그렇고말고.

어두운 이야기

자, 이제 나의 어두운 이야기를 본격적으로 이야기하고
자 해. 궁금하지?

내가 어쩌다가 빛보다 어둠, 평온함보다 분탕함, 행복
보다 고통, 희망 보다 절망, 정직보다 거짓으로 발을 들
여놓게 되었는지. 어쩌다가 평범하기 그지없었던, 아니
지, 그 평범보다 더 한심했던 내가 이런 추악한 인간으
로 낙인찍혔는지….

하지만 그에 앞서 잠깐…. 헤헤헤…. 그래, 미안해. 나
에 대해서…. 즉, 나의 배경에 대해서 나의 경력에 대해
서 잠시 살펴보고 본격적으로 이야기를 시작하도록 하
지. 미안해. 하지만 이 부분도 꽤 재미있으니까…. 너무
조급하게 다그치지는 마. 알겠지. 자, 그럼 시작한다.

나는 대학에서 수학을 전공했어. 비록 지방이지만 꽤
명문 있는 국립대였으므로 걱정한 것보다는 쉽게 직장을
잡을 수 있었지. 아, 물론 대기업은 아니야. 사실 우리나
라에서 내로라하는 대기업에 이력서를 내지 않은 것은

아니야. 그리고 일차 서류전형에서는 모두 합격했지. 왜 냐하면 내 학업성적이 아주 좋았거든.

내 자랑은 아니지만, 소싯적 고향에서 신동으로 이름을 꽤 날렸거든…. 물론 믿거나 말거나이지만…. 하지만 문 제는 면접이었어. 내가 그랬잖아. 말더듬이라고. 그래 그 게 나의 첫 사회생활 진출에 가장 큰 걸림돌이었지. 아 니 어찌 보면 내 인생을 갉아먹은 가장 큰 장애였어. 학 창 시절 항상 불안했거든. 특히 고등학교 중학교 때. 발 표 시간 말이야. 혹은 일어서서 교과서 읽기 같은 거 말 이야. 늘 불안에 떨었지. 그리고 실제로 딱 한 번이지만 그 고통을 몸소 겪기도 하였지.

지금 생각해도 등줄기에 식은땀이 흘러내려. 정말이지 두 번 다시 겪고 싶지 않은 순간이었어. 국어 시간이었 는데, 그때가 그러니까 고등학교 2학년. 국어 선생이 나 를 지목하며 읽기를 시킨 거야. 나는 하늘이 노래지는 상태로 자리에서 일어나 머리가 하얗게 텅 빈 상태에서 한 줄의 문장을 마치 무한 테이프를 틀어놓은 듯 계속해서 반복했지.

그 그 그 그 그러니까 까 까 까 까 나 나 나 나 나 나 는 어 어 어 어….

교실에 정적이 흘렀어. 하지만 그 정적은 우리가 흔히 생각하는 그 정적이 절대 아니지. 모든 친구. 그래 내 친구들. 매일, 같이 수업받고 밥 먹고 함께 운동장에서 뛰어놀던 그 친구들이 모두 하나같이 웃음을 참기 위해 극한의 입 틀어막음을 애쓰는 그런 정적이었지. 그러다 결국 한 녀석이 터졌지. 절대 참을 수 없는 웃음. 그러자 모두 기다렸다는 듯이 함께 터져 나온 거야. 그래 그 웃음. 그래, 그건 절대로 다른 이들은 경험할 수 없는 고통과 절망이지. 나는 그 순간, 정말이지 죽고 싶었어. 만약 학교 옆이 마포대교였다면 정말로 뛰어들었을 거 야. 퐁당.

그런데 정말로 나를 화나게 하고 미치고 폴짝 뛰게 하 는 게 뭔 줄 알아? 하 참! 꽤 많은 시간이 흐른 뒤, 그러니까 내가 성희롱 죄로 첫 재판을 받던 바로 그 자리에서 일어난 일이지. 나를 맡은 국선변호사가 말더듬이였던 거 있지! 하! 참! 내! 아니 어떻게 말더듬이가 변호사를 할 생각을 한 거지? 말로 벌어먹는 직업이잖아! 톰 크루즈 주연의 <어퓨굿맨> 영화도 안 본 거야? 수려한 말로 악당을 골로 보내는 그 통쾌한 장면 말이야!

만약 톰 크루즈가 말더듬이였다고 가상해봐! 어떻게 되겠어? 아마 그해 최고의 코미디 영화가 되었겠지. 그래, 그런 거야. 나는 도저히 꿈도 꿀 수 없는 직업을 나의 변호사가 얼굴 두껍게 하고 있었던 거야. 그런데 정말로 나를 화나게 한 것은 따로 있었어. 그가 말더듬이였다는 게 중요한 게 아니었어. 그건 아무것도 아니었어. 뭔지 모르겠지?

바로 그건, 그가 변론을 막 시작했을 때, 그러니까 그가 더듬더듬하며 나를 변호하는 그 순간, 모든 이가 웃음을 참고 있는 그때, 빵하고 첫 번째로 웃음을 터트린 게 바로 나라는 거야. 그래. 바로 그거야. 최소한 나는 그러면 안되는 거잖아! 나는 우리 변호사의 고통, 절망, 공포를 누구보다 뼈저리게 느끼고 아파하는 같은 부류잖아. 그런데 내가 웃음을 참지 못하고 가장 먼저 터진 거지. 그리고 그 결과는 참담했지. 판사는 내가 죄를 전혀 뉘우치지 않았다고 본 거야. 가중처벌. 괘씸죄. 법이 허용한 모든 형량을 꽉 꽉 채우고 말았지.

아! 하! 하! 하! 그렇지 이 얘기는 조금 뒤 나중에 자세하게 알려 주도록 하지. 그래, 지금은 이 이야기를 하려고 한 게 아니었지. 마저. 내가 막 입사한 그때로 돌아가도록 하지. 아무튼 나는 대기업 면접을 모두 회피하고…. 그래, 마저, 나는 회피했어. 나도 그 말더듬이 변호사처럼 세상의 비웃음과 맞서야 했었는데…. 그러지 못했지. 비굴한 내 인생. 결국 단체 면접을 하는 대기업에는 모두 가지 않았어. 결국 내가 선택한 것은 아주 조그마한 스타트업 회사였어.

사장과 개발자 네다섯 명. 경리 여직원 한 명. 나는 온라인 노래방 개발을 맡았지. 즉, 나의 직업은 프로그래머지. 내가 그랬지? 나는 천재라고. 그래, 확실히 머리 쓰는 쪽으로 다른 이보다 월등히 뛰어난 건 사실이야. 나의 부실한 구강 구조가 나의 뛰어난 머리를 따라가지 못하고 적절히 표현을 잘 못 하는 게 문제였지만 말이야.

내가 얼마나 뛰어났냐고?

일례로 바둑을 들 수 있지. 나는 바둑책 몇 권 읽고, 실전 경험, 한 두어 달 하고는 얼마 지나지 않아 아마추어 초단으로 인정을 받았어. 대단하지? 만약 내가 10살 때부터 바둑을 시작했다면 아마 이런 제목의 신문 기사가 실렸을 수도 있었을 거야.

<스승 이창호를 뛰어넘은 세계 최고의 기사 조필호 9단>

아무튼 나는 회사에서 얼마 지나지 않아 노래방 시스템의 핵심 기능 - 노래 반주에 맞추어 가사 자막에 표시

하기, 노래 실력에 따른 점수 산정하기 -을 담당하게 되었고 훌륭하게 개발을 마쳤어. 그리고 곧 우리 회사는 온라인 노래방 1위 자리를 차지했지. 나의 천재성이 빛을 발한 순간이지. 그러므로 당연하게도 나는 곧바로 팀장으로 발탁이 되었어. 사장이 나를 끔찍하게 아꼈지. 어느 정도였냐고?

우선 사장이 온라인 노래방을 기획하게 된 이유부터 잠깐 짚고 넘어가도록 하지. 왜냐하면 그의 성향이 내 인생의 망가짐에 기초 자양분이 되었거든. 그러니까, 그거야. 사장은 음주·가무를 좋아했어. 즉, 노래방을 즐겼지. 그러다 어느 날 떠오른 거지.

'아! 이 좋은 노래방을 인터넷으로 매일 공짜로 할 수 있다면 얼마나 좋을까!'

하지만 사장의 생각을 고스란히 실현해 줄 위인을 만나기는 쉽지 않았어. 즉, 나 이전에 몇몇 개발자들이 만들기는 하였지만, 내가 지극히 주관적인 잣대로 말하자면, 완전 개판이었어. 왜 그런 거 있잖아. 개발 보다 관리자의 노력이 더 필요한 시스템. 바로 그런 거지. 나의 전임자들이 만들어 놓은 것은 관리자를 악몽으로 끌고 갔거든. 예를 들면 이런 거야. 노래 가사의 싱크를 일일이 사람이 듣고 맞추어야 했어. 한마디로 우스운 거지. 그게 무슨 시스템이야? 그냥 쌩 노가다지!

하지만 나의 시스템은 완전 자동이었지. 즉, 음원과 가사를 구매해 데이터베이스에 업로드만 하면 곧바로 싱크율 100%의 노래가 관련 동영상과 함께 흘러나왔지. 그러니 사장이 나를 끔찍이 사랑하지 않을 이유가 없었지. 게다가 대규모 IT 전시회장에 출품한 우리 노래방 시스템이 대통령상을 받으면서 투자 문의가 이어지기 시작한 거지. 그야말로 나는 삼국지의 제갈공명 같은 존재였던 거야!

이듬해 회사를 강남역세권 신사옥으로 옮겼어. 회사 직원도 40명으로 갑자기 불어났지. 나는 최연소 개발 이사가 되고 빵빵한 스톡옵션을 보장받았어. 그렇게 되자 배가 부른 사장은 그이 취미를 극대화하는 쪽으로 변질하기 시작했어. 그리고 그의 동반자로 내가 뽑힌 거지. 그래, 그런 거야. 운명적으로 그렇게 엮이게 되어 있는 거였지. 이제 너도 나에 대해 제법 많이 알고 있잖아. 그래. 나는 숙맥이고 여자 경험도 거의 없고 그저 푹신한 의자에 처박혀, 일반인들이 보고 있으면 현기증에 두통까지 쏟아질 만한 복잡하기 그지없는 프로그래밍 언어에 빠져, 늘 날이 밝을 때까지 일만하고 있었지. 그런데 사장이 유혹한 거야. 같이 놀자고.

그래, 그래서 시작한 거야. 강남의 초호화 룸살롱 탐방 말이야. 정말이지 연예인 뺨치는 미모의 여인들이 내 곁에 찰싹 달라붙어 갖은 애교로 회삿돈, 아니지, 투자자의 돈과 나의 영혼을 쪽쪽 빨아먹었던 거였어. 사장과 나는 궁 짝이 정말 잘 맞았어. 둘 다 여자에게는 환장했거든. 사실 나는 그럴 만했잖아. 너도 잘 알다시피. 변변한 연애 한 번 못했잖아. 그러니 몸이 먼저 느낀 거지. 그러니 남의 돈 쓰는데 있어서 우리는 망설임이 없었어. 쾌락과 향락, 퇴폐와 원초적 본능의 일 년이 그렇게 흘러

간 거야.

하지만 문제가 있었지. 그것도 아주 큰 문제가. 우리의 노래방 시스템은 기본적으로 무료였어. 물론 최신 유행 곡을 선택하면 월정액을 받았지. 하지만 유료회원의 수는 턱없이 작았어. 할 수 없이 화면에 광고를 넣기 시작했어. 그런데 그마저도 신통치 않았어. 즉, 시스템은 더할 나위 없이 우수하지만, 태생적으로 돈을 벌지 못하는 구조인 거지. 게다가 사장의 사치스러운 취미 생활이 더해졌으니…. 투자자의 돈이 일 년도 못가 거의 바닥을 드러내기 시작한 거였어.

사장의 고민이 깊어졌지. 그러다 내가 제안을 했어. 아주 솔깃한 걸로 말이야. 사장과 나. 즉, 우리가 좋아하는 것을, 온라인으로 고대로 이식하고 최대화할 수 있는 거였지. 딱 한 가지, 이게 불법이라는 것만 빼면 완벽한 제안이었어. 그래, 마저. 인간의 기본 욕구를, 도파민 극대화를 이처럼 즉석에서 해결해 줄 수 있는 것도 없지. 암. 그렇고말고.

우리는 이 작업을 아주 은밀하게 시작했어. 개발실을 시 외곽 외딴곳에 두었지. 그리고 내가 신뢰할 만한, 즉 입이 무겁다고 확신할 수 있는 개발자만 따로 초청했어. 그렇게 우리의 은밀하고 비밀스럽고 교활한 작업이 시작된 거였어. 우리는 이 시스템을 <노예팅>이라고 불렀어. 좀 더 정확한 용어로 하자면 <음란채팅>이 되겠지. 물론 세상에 드러낼 때의 이름은 확 달라질 거야. 아주 온화하고 건전한 이름으로 말이야. 예를 들면 <행복팅> <친밀팅> <사랑팅> <해피팅> 등등.

우리 개발팀은 4개월의 개발과 1개월의 테스팅을 거쳐 완벽한 화상채팅 시스템을 결국 완성했어. 정말이지 내가 봐도 자랑스러운 결과물이었어. 나는 우리 시스템이 시범 운영을 하던 날 너무 좋아 눈물까지 쏟을 뻔했어. 다만 한가지. 나의 이 훌륭한 작품을 세상에 당당히 드러내지 못한다는 것이 안타까울 따름이었지.

아무튼 시스템이 준비됨에 따라 사장은 두 번째 필요

작업을 시작했어. 바로 여자 공급이었지. 하지만 사장에게 이건 무척 쉬운 일이었어. 그동안 전국의 숱한 룸살롱에 뿌려놓은 종자가 엄청났던 거야. 그쪽 관계자들과 긴밀한 관계를 통하여, 거의 한물간 여자, 인물이나 몸매가 좀 달리는 여자, 중국의 조선족 혹은 백수로 놀고 있는 여자들까지 은밀하게 모집하였어. 그리고 폐업한 피시방을 인수하여 칸막이를 설치하고 각 방에 여자를 한 명씩 배치했지.

마침내 우리의 노예팅 아니, 행복팅이 오픈하였어. 결과는? 우리가 기대한 그 이상이었지. 하하하.

화상 채팅에 참여한 남자가 지급하는 돈의 액수에 따라 여인들이 걸친 옷 가짓수가 달라졌지. 그리고 마지막 결정적인 순간이 오면, 프라이빗 채팅으로 전환이 되면서 진정한 음란채팅이 완성으로 치닫는 거였어. 그야말로 돈이 쏟아지기 시작했어. 나와 사장은 관리자 화면에 실시간으로 찍히는 금액을 쳐다보며 감탄과 경탄을 금치 못했지.

그러면서 동시에 이런 생각이 들었어.

'참, 세상에 바보가 이렇게 많다니~'

사실 내가 보기에는 참 한심하기 그지없는 거였거든. 저게 뭐라고? 그냥 액정 화면에

벗은 여자가 남자 시킨 데로 흉내 내는 것뿐인데 그게 뭐라고…. 저렇게까지 돈을 쓰는 걸까?

그냥 야동을 보면 될걸? 왜 저러는 걸까요?

아무튼 우리는 신이 났지. 사장과 나의 은밀한 취미 생활을 지속할 수 있는 실탄을 받은

거니까. 우리의 퇴폐 향락은 더욱더 탄력을 받고 서서히 그 끝은 알 수 없는 나락으로 빠져들고 있었던 거야. 또 한 번의 쾌락과 향락, 퇴폐와 원초적 본능의 일 년이 그렇게 흘러간 거야.

하지만 그거 알지? 시간은 세상을 드러내는 도구라는

거. 그거 어디선가 들어보지 않았어?

어둠에 갇힌 채, 마냥 지하 깊숙이 숨어 있을 것 같은 우리의 노예팅 아니 행복팅은, 하지만 온라인 특성상 그 인기만큼 세상의 전면에 드러날 수밖에 없는 것. 결국 많이 이들이 꼬리를 물고 이 새로운 시스템에 발을 들이면서 우리는 동전의 양면과 같은 고민에 빠질 수밖에 없었던 거지.

즉, 인기가 오르며 오를수록 우리의 지갑은 두둑해지지만 동시에 우리의 위험은 그만큼 가파르게 올라갈 수밖에 없었던 거야. 전국의 관할 경찰, 사이버 수사대가 우리를 그냥 내버려 둘 리가 없다는 거는 불을 보듯 빤한 거잖아? 알잖아? 사이버 수사대는 지역 경계가 없다는 거. 즉, 창원 경찰이 서울 용산 사무실을 덮칠 수도 있거든. 그러니 전국의 숱한 사이버 수사대가 나의 찬란한 시스템에 접속해 기웃거리고 있었던 거지. 뭐 실제로 우리 행복팅을 이용한 경찰들도 제법 있지….

그래서 어떻게 되었어?

그래서 나는 내 졸개에게 한가지 명령을 하달했지.

그게 뭐냐고? 그건 일주일 단위로 새로운 사이트를 만드는 거였어. 우리의 목표는 1,000개의 사이트. 얼핏 보면 꽤 복잡하고 어려운 작업처럼 보일 거야. 하지만 세상에 이것만큼 쉬운 것은 없지. 개발자들의 영원한 행복 키워드. 바로 Ctrl + c (복사), Ctrl + v (붙이기) 인거지. 그래 그거야. 그냥 사이트 소스 복사해서 새로운 디자인으로 덮은 다음, 도메인에 붙여 넣기만 하면 그만이지. 디자이너 작업 한 두어 시간, 도메인 작업 대략한 십 분 정도. 그래 이 정도면 훌륭한 사이트 하나가 탄생을 하는 거지. 그저 우리는 도메인만 열심히 검색해서 사면 되는 거였어. 즉, 하나의 뿌리에 - 우리는 이것을 전문 학술용어로 데이터베이스라고 하지 - 천 개의 가지가 생기는 거지.

결국, 우리는 일 년 새 천 개가 넘는 사이트를 운영하게 되었지. 경찰의 눈을 분산시키기 위한 최적의 방법이야. 암, 그렇고말고. 그렇게 하다가 일부 몇몇 사이트가 인기를 끌어 전면에 뜨거나 그 결과 경찰의 수사를 받는 낌새가 느껴지면 우리는 가차 없이 그 사이트를 폐쇄하는 거지. 그러면 그 홈페이지를 애용하던 멍청이들은 잠시 혼란에 빠지겠지. 하지만 걱정할 필요가 전혀 없어. 왜냐하면 우리 시대 최고의 선물, 검색의 일인자 구글이 알아서 유사한 사이트를 안내하게 되어 있거든. 그리고 노예팅 회원들은 곧 알게 되지. 자신의 아이디와 패스워드가 고스란히 살아 있을 뿐만 아니라 적립금도 남아 있고 찜해둔 여인들도 똑같다는 것을…. 그러니 세상의 바보들은 다시 우리 사이트에 빠질 수밖에 없는 거거든.

그런데 왜 그 좋은 회사를 그만두었어?

어? 내가 그만둔 것을 너가 어떻게 아는 거야?

당연히 알지. 이 바보야! 우리가 어디 하루 이틀 만난 사이야? 우리가 나눠 마신 술병만 널어놓아도 마장동까지 가겠다.

아! 그렇지! 헤헤헤. 미안해. 요즈음 머리가 텅 비어서 그런지 자꾸 잊어버려. 아무튼 내가 회사를 그만두게 된 사연은 잠시 미뤄두기로 하고 우리의 자랑스러운 행복팅에 대해서 좀 더 이야기를 이어갈게. 아직 마무리된 게 아니거든.

아, 미안해. 그래 계속해.

너가 비전문가이니까 내가 아주 쉽게 설명해보게. 그러니까 이런 거야…. 같은 뿌리에서 자란 천 그루의 아카시아. 비유하자면 그런 거야. 우리 사이트 말이야. 그런데 경찰들도 우리 사이트를 지속해서 모니터링 하면서 느끼는 거지. 아니 깨달을 수밖에 없지. 사이트의 디자인과 이름, 도메인은 달라졌지만 늘 같은 아이디, 변함없는 적립금 기록, 같은 여자 등등…. 즉 우리가 아무리 많은 사이트를 개설해도 시간이 지나면 자연히 그들도 알게 된다는 거지.

그래서 어떻게 한 거야? 뭐 해결책을 찾은 거야?

당연하지. 내가 누구야? 시대를 앞서가는 천재 중의 천재가 아니겠어.

그래서? 어떻게 한 거야?

팔았지. 솔루션을. 우리 행복팅 솔루션을 돈을 받고 분양한 거지. 하나당 일억씩.

와! 일억이나 받고 팔았다고? 그거 너무 비싼 거 아냐?

아냐! 절대 그렇지 않아. 자본주의 시장경제의 장점이 뭐겠어? 수요와 공급의 법칙. 공급이 달리면 가격은 오를 수밖에 없지. 우리 노예팅을 사겠다는 인간들이 엄청 많은 거야. 물론 그 소비자들은 대부분 질이 안 좋은 부류지. 즉, 음지에 숨어서 돈이 된다면 수단과 방법을 가리지 않는 온갖 종류의 집단들이지. 잘 알잖아? 그런 쪽에 한동안 몸담고 계셨으니 어련하겠어.

그러니까 자네 솔루션을 사 간 사람들이 조폭, 사채꾼, 사기꾼, 노름꾼, 여자 장사꾼 뭐 이런 애들이라는 거지?

정확히 그렇지. 어둠의 자식들. 그들은 비상하게 돈 냄새를 잘 맡거든. 한 달에 평균 10개씩 우리 솔루션을 팔아 재꼈어.

와! 그럼 한 달에 10억씩 통장에 꽂히는 거네. 그것도 세금 한 푼 안 내는 돈으로.

그렇지. 완전 현찰 박치기지. 어떤 때는 사이트 운영 수익보다 솔루션 판매 수익이 더 높았어. 게다가 더 좋았던 점은…. 이제 완전히 다른 뿌리라는 거지. 즉, 별도의 독립 서버에서 운영하는 별개의 사이트가 우후죽순으로 생겨나는 거지. 그러니 우리에게 향하던 모든 사이버 수사대의 시선이 흩어질 수밖에 없는 거지. 그리고 더더욱 좋았던 점이 뭔지 알아? 특히 내게.

질문하지 말고 그냥 말하라니까.

아, 미안해. 이게 습관이 돼서…. 헤헤헤…. 우리의 솔루션을 사간 자들은 대부분 컴맹이야. 당연하겠지. 사람 협박하고 패는 거야 할 줄 알았지, 그들이 우리 시대 최첨단 기술을 어떻게 알겠어?

즉, 당분간은 관리를 우리가 할 수밖에 없다는 거지. 그리고 그 관리의 책임자는 바로 나지. 그러니 어떻게 되겠어? 서버가 다운되거나 프로그램에 문제가 생기면 누굴 제일 먼저 찾겠어? 당연히 나지. 그러니 내게 잘 보여야 하는 거지. 다시 말해 나는 그들의 귀하신 몸이 된 거지. 그 결과는 쉽게 추측할 수 있겠지? 두둑한 뒷돈은 물론이고 각종 향응 제공이 이어지더군. 즐겼지. 퇴폐스러운 삶. 바로 그거지. 불법과 나쁜 놈들에게 둘러싸여 쾌락의 끝을 달렸지. 그런 얘기도 있잖아. 선무당이 사람 잡는다고. 아니지 이건 비유가 적당하지 않은 거 같아. 아무튼 숙맥이 한번 맛을 들이니 헤어나지를 못하는 거지.

이때쯤, 나의 일과를 대충 알려줄게.

아주 늦게 일어났지. 그건 그럴 수밖에 없었어. 왜냐하면 해피팅이 가장 북적거리는 시간은 새벽이거든. 그러니 서버 다운도 그 시간에 가장 많이 발생하지. 욕정에 굶주리면 잠을 잘 자지 못하는가 봐? 온라인 게임하고 비슷하다고 보면 돼. 그러니 관리자는 다른 시간을 몰라도 새벽에는 꼭 모니터링을 해야 하는 거지. 물론 내가 화면을 들여다보고 있는 거는 아냐. 나는 대장이니까. 그건 졸병들이 담당하지.

그저 나는 편안히, 오피스텔에서, 그쪽 업체에 종사하는 여인과 시시덕거리며 놀고 있으면 되는 거였어. 웬만한 시스템 문제들은 졸개들이 해결했지. 서버 다운되면 부트하면 되고 적립금 날린 유저가 있으면 다시 채워주면 그만이지. 나는 일종의 비상 대기라고 보면 편할 거야. 그러다 가끔 아주 심각한 에러가 발생하곤 하지. 서버가 완전히 다운되었거나 사이트가 망가져 제대로 나타나지 않는다든가 하는 뭐 그런 것들이지. 혹은 해커가 들어와서 난장판으로 만들기고 하고…. 그러면 내가 나서는 거야.

어떻게 보면 종합병원 응급실과 비슷하지. 웬만한 건 인턴이나 레지던트가 다 해결하잖아. 아주 심각한 거 빼고는 말이야. 나는 그 심각한 것을 해결하는 맥가이버와 같은 존재지. 우리 솔루션을 사간 인간들이 어떤 부류라고 내가 얘기했었지? 그래. 질이 안 좋은 놈들 뿐이지. 그리고 그런 놈들의 특징이 뭔 줄 알아? 돈에 더럽게 민감하다는 거야. 아, 물론 자본주의 끝을 향해 거침없이 달리는 동시대 호모 사피엔스의 공통점이기도 하지만 말이야.

아무튼 서버가 다운되었다고 한번 가정을 해봐. 적게는 시간당 수십만 원에서, 많게는 수백만 원까지 앉은 자리에서 까먹게 되는 거지. 그러니 이놈들이 그냥 있을 리가 없지. 이제 그 심각성을 약간 체험할 수 있겠어? 내가 그 시간에, 그 중요한 시간에, 서버가 다운되었고 졸개들이 해결을 못 하고 쩔쩔매고 있는 상황에, 내가 퍼질고 자고 있었다고 가정해봐. 놈들이 당장 사시미 칼 들고 쳐들어 와 내 배를 난도질해도 할 말이 없는 거지. 아, 물론 이것은 좀 과장을 섞은 거지만….

그러니 내가 잘 수 있겠어? 당연히 못 자지.

그래서 어떻게 하냐고? 뭐 어떡하긴? 그냥 여인의 육체를 탐닉하며 온밤을 지새우는 거지. 뭐, 별수 있겠어. 하지만 그래도 잠이 쏟아진다 싶으면 잠 깨는 약을 받곤 하지. 그게 무슨 약이냐고? 알잖아! 마 머로 시작하는 그거 있잖아. 왜 할리우드 영화 보면 자주 등장하잖아. 빨대를 코에 꽂고, 투명한 테이블에 도루코 면도칼로 적당히 분배한 하얀 가루를 훅훅 들이켜는 모습…. 그래…. 그와 유사한 약품들이지 뭐.

그래서 중독이 된 거야?

그래, 그렇다고 봐야지. 너도 잘 알잖아? 쾌락의 끝은 중독으로 마무리된다는 거. 단지 중독의 종류만 틀린 거지. 섹스, 마약, 알코올, 도박, 성형, 쇼핑, 운동, 다이어트, 일, 게임, 살인까지.

그럼 너는 섹스와 알코올, 마약에 중독된 거야?

그땐 그랬지.

뭔가 끝이 보이는 거 같은데.

그렇지. 너도 느낌이 싸하게 오는 거지? 내가 왜 그 좋은 회사를 그만두게 되었는지 대충 가닥이 잡히지? 하지만 거기에는 피치 못할 사정이 숨어 있어.

납치

피치 못할 사정?

왜냐하면 내가 하고 싶어서 한 게 아니거든. 할 수 없이 한 거야. 누군가의 강요에 의해서지. 어떤 놈의 꾐에 넘어갔거든.

그놈이 누군데?

장도식이라는 놈인데 그냥 우리는 벤틀리라고 불렀어.

벤틀리?

그래, 그 왜 있잖아. 무지 비싼 차. 영국 여왕이 탄다는 그 차. 그놈이 그걸 몰고 다녔거든.

너의 고객이었어?

마저. 우리 솔루션을 사간 놈이지. 그것도 무려 다섯 개나 사간 놈이야. 그럼 지금부터 내가 그 벤틀리라는 놈과 어떻게 얽히고설켜서 요 모양 저 꼴이 되었는지 자세하게 설명해주지. 일단 길게 호흡 한 번 가다듬고. 음. 음. 음. 자 그럼 그 악마 같은 놈에 대해서 이야기하자면….

그놈이 애초에 뭘 해서 떼돈을 벌었는지는 사실 자세하게는 알지 못해. 그냥 그 녀석과 이런저런 이야기를 엮으면서 주워들은 정보를 기반으로 추론하자면…. 주 수입원이 여자 장사였어. 그러니까 동남아, 중국 등지에서 여자를 모집해 안마시술소나 뭐 그런 거 있잖아. 뭐라고 그러지? 유사 성행위업소라던가 뭐 그런 곳에 제공하는 일을 한 것 같더라고. 그러니 자연스레 우리 솔루션 이야기를 듣게 될 수밖에 없지. 다를 끼리끼리 모이니까…. 그러던 어느 날 우리 사무실에 나타난 거지.

벤틀리를 몰고?

그렇지. 비까번쩍한 벤틀리에 운전사까지 대동해서 나타난 거야. 그러고는 만나지 십 분이 되지 않아 현금 일억이 든 가방을 우리 사장에게 건네더라고. 사장 입이 바로 귀에 걸렸지. 그리고 나를 보자마자 바로 현금 한 다발을 손에 쥐여주며 그러더군.

"직원들끼리 점심이나 하시죠."

나중에 세어보니 천만 원이더군. 직원들 일 년 치 점심값을 주고 간 거야. 크크크. 물론 너도 짐작하겠지만 당연히 입 싹 닦고 내 호주머니로 다 들어갔지.

아니 어떻게 생긴 놈이길래 그렇게 돈을 많이 번 거야?

그냥 평범해. 나이는 좀 있어 보였지만 길에 세워 놓으면 누구도 기억 못 하는 중년의 모습이었어. 아무튼 사장의 지시에 따라 우리는 그 벤틀리를 MVP 고객으로 기억하고 그에 상응하는 대우를 하기 시작했지.

MVP 고객은 또 뭐야?

뭐, 별다른 거는 없어. 좀 더 신경을 써 준다는 것뿐이야. 우리가 제공하는 게 뭐겠어? 해피팅 시스템 관리지 뭐. 그러니 만약 여러 군데에서 수정 요청 사항 같은 게 동시에 들어오면 최우선으로 벤틀리 사이트를 먼저 해 준다. 뭐, 그거지. 별다른 거는 없어. 아무튼 그 벤틀리라는 놈. 장사 수완은 좀 있었던 거 같더라고. 사이트 오픈한지 몇 달 되지도 않았는데 매출이 장난 아니게 올라가더라고.

너가 매출을 볼 수 있었던 거야?

당연하지. 내가 관리자 장인데. 대한민국 음란 채팅 사이트의 모든 것은 내 손바닥 안에 있는 거야. 물론 우리 솔루션을 어설프게 흉내 낸 몇 안 되는, 허접하기 짝이 없는 유사 사이트는 빼고 말이야.

그래서 그다음에 어떻게 되었어? 그 벤틀리.

아무튼 몇 달 뒤 그놈이 다시 나타난 거지. 그러더니 이번에는 2억의 빳빳한 현찰이 든 가방을 우리 사장에게 안기더군. 만난 지 오 분도 되지 않아서.

너도 좀 얻어먹었겠다?

당연하지. 얻어먹은 정도가 아냐. 현금다발 다섯 뭉텅이를 내게 안기는데 두 손에 다 쥐기도 힘들 지경이었지. 게다가 무슨 신용카드같이 생긴 것을 우리 사장하고 내게 건네면서 그러더군.

"제가 운영하는 최고급 룸살롱입니다. 이 카드만 보여주면 무조건하고 최고급 양주 2병이 무료 서비스 제공입니다. 그러니 바쁘시더라도 어려운 발걸음 한번 하시지요. 사장님 그리고 이사님."

그래서 좋았던 거야?

당연하지. 그걸 말이라고 해? 최고의 호구를 만난 거

잖아. 안 그래? 아, 물론 그때는 그렇게 생각했던 거지. 씀씀이가 무척 헤픈 고마운 사장님으로만 생각이 들었지. 그놈이 언젠가 내 뒤통수를 칠 놈이라고는 상상도 못 했지. 그냥 수완 좋고 통 큰, 벤틀리를 몰고 다니는 놈으로만 여겼지.

그런데 어쩌다가 그놈한테 엮인 거야?

순전히 여자 때문이야. 제니라고 하는, 그놈이 운영하는 룸살롱에 다니는 술집 여자였는데, 나중에 안 사실이지만 본명은 되게 촌스럽더라고. 크크크

본명이 뭔데?

심순례. 하하하. 웃기지? 아무튼 벤틀리가 준 카드를 가지고 우리 사장과 나는 틈틈이 잊지 않고 그곳을 방문하곤 했지. 그러다 제니를 만났는데, 무척 싹싹하고 이뻤어. 몸매도 아주 훌륭했고. 물론 이것도 나중에 안 사실이지만, 거의 모든 부분을 뜯어고쳤더구먼. 아무튼 우

리나라 의사 선생님의 손재주는 인정해줘야 해. 거의 흠 잡을 데가 없더구먼. 완벽한 미모와 몸매. 나는 만나자마자 그년에게 빠져들었지.

그년? 뭔가 안 좋게 끝났구나?

그래, 이 모든 것이. 그놈 벤틀리와 그년 제니가 작당해서 꾸민 작업이었던 거야. 그리고 그 타겟은 바로 나였고. 나는 그것도 모르고 아주 손쉽게 걸려들어 간 거지. 나의 최대 약점이 뭐겠어? 바로 여자지. 여인의 그 섹시한 미소 한방이면 간이나 쓸개나 다 내주는 놈이 바로 나잖아. 그러니 어떻게 그 연놈들이 쳐 놓은 거미줄에서 빠져나올 수 있었겠어? 당연히 아주 손쉬운 제물이 된 거지.

도대체 무슨 일이 있었던 건데?

그러니까 제니를 만나고 한 달도 되지 않아 우리는 연인이 되었지. 내가 푹 빠졌거든. 제니의 오피스텔에 거의 살다시피 했어. 누가 보면 딱 신혼부부로 오해할 만할 정도였지. 사실 제니가 술집만 나가지 않았다면 혼인 신고도 할 의향이었어. 그 정도로 좋아했지. 그러던 어느 날 제니가 그러더군. 필리핀에 같이 놀러 가자고. 뭐, 일종의 신혼여행 비스름한 거를 하자고 하더라고. 거기 가서 카지노도 실컷 하고 약도 좀 빨고 각종 퇴폐 향락도 즐기고 오자고 그러는 거야. 그러면서 자기가 모든 것을 준비할 테니 나는 몸만 오라는 거 있지. 그때 눈치 빠른 놈이었다면 약간 의심이라도 했을 텐데, 너도 겪어 봐서 알겠지만 내가 머리는 비상한데 그 뭐랄까? 세상 물정 같은 거에는 좀 둔감하잖아? 그렇지? 그래 그때는 그랬어. 나는 아무 의심 없이 룰루랄라 하며 따라간 거야. 그러니 그 벤틀리 일당들이 쳐 놓은 그물로 바로 직행한 거지 뭐.

그래서?

그래서 어떻게 되긴. 필리핀 도착 첫날은 도박과 술, 섹스에 절어 황홀한 밤을 잘 보냈지. 그러다 늦은 오전에 깨어났는데 뭔가 좀 이상하더라고. 제니는 보이지 않고 낯선 놈들이 있는 거야. 그래서 벌떡 일어났지. 그런데 그놈들이 묻지도 않아. 그냥 다짜고짜 두들겨 패기 시작하더라고. 그야말로 신나게 두들겨 맞았지. 태어나서 그렇게 맞아보긴 당연히 처음이지. 손가락질하나 까딱할 수 없을 정도로 처맞았지. 맞으면서 처음에 무슨 생각이 든 줄 알아?

무슨 생각?

왜, 그런 거 있잖아. 돈 많아 보이는 관광객들을 납치해 거액의 돈을 요구하는 사건들…. 처음에는 그거라고 생각했지. 벤틀리와 제니가 꾸민 짓이라고는 추호도 의심하지 않았던 거 있지. 참, 나도 어지간히 바보는 바보였던 거지. 아무튼 죽을 만큼 두들겨 맞고 침대에 널브러져 끙끙거리고 있었지. 그러더니 다음 날, 그놈이 나타난 거야. 그 벤틀리 말이야. 하지만 그때까지만 해도 나는 이게 어떻게 돌아가는 건지 도저히 감을 잡을 수 없었지. 왜냐하면 돈을 노린 거라면 당연히 우리 사장을 타겟으로 했을 거란 말이지. 내가 비록 내 또래에 비해 적지 않은 재산을 가지고는 있었지만, 우리 사장에 비하면 그야말로 새 발의 피거든. 그렇지 않겠어? 봉급쟁이가 벌어봐야 얼마를 벌겠어? 그러니 나를 납치할 이유가 납득이 되지 않았던 거야.

그럼 돈 말고 다른 이유가 있었던 거야?

그래. 그들에게는 돈보다 더 중요한 이유가 있었던 거지.

그게 뭔데?

바로 나의 브레인이지. 최고의 프로그래밍 능력. 그놈의 벤틀리가 내게 소스 하나를 던져 주며 이러더군.

"한 달 이내에 이 소스를 완전히 분석해라. 우리 입맛대로 바꿀 수 있을 정도로. 알겠나! 조필호! 너가 살고 싶으면."

뜯어 살펴보니 <온라인 도박 시스템>이더군. 나중에 안 사실이지만 그놈은 애초에 나를 타겟으로 접근하거였어. 그에게 해피팅은 그냥 푼돈에 불과했던 거야. 진짜배기는 도박 사이트지. 전 세계인을 대상으로 시간당 수천만 원을 그에게 안길 수 있는 그런 시스템이 필요했던 거지. 그러니 우리 사장은 안중에도 없었던 거고.

그래서? 그들이 시키는 데로 도박 사이트를 만든 거야?

아니. 처음에는 그러지 않았지. 나는 그 순간, 극도의 공포를 느끼면서도 동시에 내 속에 잠자던 다른 악마적 재능을 엿 볼 수 있었거든. 즉, 살기 위해 지금 내가 할 수 있는 최고의 방법이 무엇인가를 재빠르게 판단하기 시작했지. 어차피 나는 그에게 소모품에 불과한 것. 언제든 이용 가치가 떨어지면 제거되고 말겠지. 그리고 생각했지. 지금, 이 순간, 그에게 가장 필요한 사람은 나라는 것. 나 없이는 아무것도 할 수 없다는 것. 그리고 또 한

가지의 생각이 들었지. 어차피 여기서 죽기 전에는 빠져나가기는 힘든 것. 그렇다면 죽음? 그래, 생각해 보니 찌질이로 태어나 아무튼 굵고 짧게 진하게, 즐길 거 즐겼고 누릴 거 다 누렸다. 그래, 지금 죽으나 늙어 죽어나 뭐 달라지는 게 뭐가 있겠어? 어차피 눈 깜짝할 사이 다 사라질 운명인데. 그래, 어차피 이래 된 거 그냥 죽자. 죽으면 그만이다. 이런 생각이, 어찌 보면 내 속에 잠자던 놀라운 이 판단력 – 삶의 완전한 포기 – 이 나를 뻣뻣하게 만들기 시작한 거 있지. 그래 죽기 아니면 살기다. 협상하자. 그래서 나는 벤틀리의 눈을 똑똑히 쳐다보며 기어가는 목소리로 말을 했지.

"어차피 내가 도박 사이트 완성하고 나면 나를 죽일 거 아냐? 그런데 내가 왜 만들어주냐?"

나의 대답에 놈은 피식 웃으며 그러더군.

"너가 죽으면 관리는 누가 하냐?"

나는 속으로 쾌재를 불렀지. 내가 원하는 답이었거든. 나의 삶이 보장되었다는 거가 아니라 내 대답에 주먹 대신 말이 오갔다는 게 중요한 거였거든. 즉, 이 말은 내가 협상을 제시해도 될 정도의 여력이 있다는 말이 되는 거고. 그래서 나는 그에게 다음을 제안했지.

"나는 완벽한 도박 시스템을 너에게 만들어 줄 수 있다. 단, 조건이 있다. 그 조건을 너가 수락할 수 없다면 그냥 이 자리에서 나를 죽여라. 나는 어차피 미련 없다."

그러자 그 녀석이 아주 기분 나쁜 표정으로 웃어젖히더군.

"미련 없다고?"

"그래, 없다. 죽여라."

그러자 그놈이 입을 비죽거리며 묻더군.

"그래, 너가 원한다면 죽여주지. 그런데 그 조건이 뭔지는 알고 가자. 그래, 너가 원하는 조건이 뭔데?"

그 순간, 나는 확신을 느꼈어. 저놈이 나를 절대로 죽이지 않을 거라는 것을. 그래서 내가 원하는 조건을 가감없이 정확히 전달했지.

"나의 조건은 딱 세 가지다. 첫째, 절대로 내게 주먹질하지 말 것. 둘째, 최고의 음식을 제공할 것. 셋째 마약과 여자를 제공할 것. 이 세 가지를 제공하든가 아니면 그냥 죽여라."

그래서? 그놈이 너의 조건을 수락한 거야?

당연하지. 그렇지 않았다면 내가 어떻게 지금 너에게 나의 이야기를 들려주고 있었겠어. 결론부터 말하면 나는 아주 편안하게 개발에 몰두할 수 있었지. 벤틀리 그놈이 나쁜 놈은 맞지만, 꽉 막힌 놈은 아니었어. 내게 매일, 최고의 음식과 약, 여자를 제공해 주었거든. 그러니 나는, 단지 갇혀 있다는 것 외에는 사실 별 어려움은 없었던 거야. 그리고 우리 사장에게 사직서를 보냈지. 사직서를 쓰면서 은근히 뭔가를 기대한 것은 있었어. 내 생각에…. 사장이 나의 사직을 절대 받아들이지 않을 거라는 것은 쉽게 예견할 수 있었으니까…. 틀림없이 뭔가를 의심하고 사람을 보내거나 아니면 최소한 필리핀 주재 한국 대사관에 연락이라도 해 줄 줄 알았어.

그런데?

전혀. 아무런 소식을 받을 수 없었어. 실망스럽게도. 그런데 한 달 뒤, 그 이유를 알 수 있었지. 벤틀리 일당이 인터넷에 난 뉴스를 내게 프린팅해서 전해주었거든.

무슨 내용이었는데? 너와 관련된 거였어.

그렇지. 신문에 아주 대문짝만하게 났더군.

'평창 사이버 수사대. 수년간의 끈질긴 수사 끝에 이룬 쾌거. 일명 <노예팅>으로 알려진 불법 음란 화상 채팅 사이트의 본부를 급습하여 일망타진. 사장을 비롯한 간부급 십수 명 체포. 단 개발 총괄 이사는 현재 필리핀으로 도주한 상태.'

띵띵한 우리 사장이 수갑을 찬 채 얼굴을 가리고, 양옆에 의기양양한 모습의 경찰들이 팔짱을 낀 채, 끌고 가는 모습의 사진이 떡하니 걸려 있더군.

야, 그럼 너는 적절할 때 납치당한 거네?

야! 무슨 악담을 그렇게 하는 거야? 어차피 검찰에 끌려갔어도 몇 달 옥살이 하거나 그마저도 집행유예로 풀려나는 거야. 내가 그런 거 조사 안 해 본 줄 알아? 게다가 우리 담당 변호사들은 그냥 변호사가 아니야. 로펌이야. 그것도 대형 로펌. 그게 뭔 뜻인 줄 알아? 그냥 돈이면 다 된다는 의미야! 알겠어? 내가 어딘지도 모르는 외딴집에 갇혀 죽을 때까지 일만 해야 하는 상황이 된 건데 그게 그거하고 같은 거야? 응? 이 바보야!

아, 아, 아, 미안해! 진정해. 내가 그냥 헛소리가 좀 나온 것뿐이야. 그러니 진정하라고. 미안해. 정말 미안해.

알았어. 너가 사과한다니 내 하늘 같은 아량으로 너를 용서해주지. 아무튼 그때 나는 납치 상태로 몇 달 동안 밤낮으로 작업하고 먹고 싸고 섹스하고 약하고 그러면서 살았던 거야.

그런데 어떻게 탈출한 거야? 그냥 쉽게 되진 않았을 텐데?

그렇지. 절대 쉽지 않지. 궁전같이 넓은 집이었지만 수십 명이 기거하며 우리를 감시하고 있었거든.

우리라고?

아, 참 그 얘기를 안 했구나. 디자이너가 한 명 있었어. 물론 그녀도 납치된 거지. 급여 많이 준다고 하니 겁도 없이 필리핀에 혼자 왔다가 대번에 내 꼬라지 난 거지.

그녀와 잔 거야?

어휴! 이 인간아! 꼴에 너도 남자라고 그것부터 궁금한 거였어?

아니 너가 우리라고 하니까…. 뭔가 끈끈한 느낌의…. 특별한 애정 같은 거, 뭐 그런 게 떠오른 거지.

그녀와 같이 잔 적은 많아. 하지만 그녀를 건드리지는 않았어. 왜 그런 줄 알아?

또 묻는다! 제발! 그냥 말해!

아, 아, 알았어. 고마 진정해라. 그래, 내 말할게…. 민감한 새끼! 그러니까…. 어휴…. 불쌍한 우리 민숙이.

그 디자이너 이름이 민숙이였어?

응. 고민숙. 불쌍한 우리 민숙이.

같이 탈출한 게 아니었어?

아니. 일찍 죽었어.

어떻게?

몸이 만신창이였거든. 내가 민숙이를 왜 건드리지 않은 지…. 이제 대충 짐작이 가지? 뻑 하면 두들겨 맞고, 밤이면 밤마다 놈들이 돌아가면서 강간을 한 거지…. 그 불쌍한 여자를…. 아무튼 거기 거주하는 놈들은 인간 새 끼가 아니었어. 그냥 다 짐승이야. 짐승.

불쌍한 영혼이었구나.

하모. 불쌍하기 짝이 없지. 한국에 그냥 있었으면 빵빵한 회사에 디자인 팀장으로 이름께나 날렸을 텐데… 무슨 바람이 불어 여자가 혈혈단신으로 그런 곳을 가긴 가는 거야? 응, 겁도 없이. 자발적으로 악어 입으로 기어들어 간 거지.

너가 꽤 민숙이를 좋아했던 것 같은 느낌이 드는데?

그럴 수밖에 없지. 동병상련 아니겠어. 악마 소굴에 끌려간 두 개의 불쌍한 인생이었으니까. 서로에게 애틋할 수밖에 없었지. 게다가 민숙이는 나만큼 똑똑했거든.

그래?

응. 홍대 미대 수석 졸업생이었어. 재학생 때 이미 대통령상도 받고… 그 유명한 게임회사 있잖아? NC 소프트. 거기 수석 디자이너였어. 필리핀 가기 전에. 걔 오빠는 삼성의료원 정신과 의사고. 한마디로 수재 집안이었지.

민숙이 집에서 난리가 났겠는데? 딸이 실종되었으니까.

당연히 그랬겠지. 하지만 필리핀에서 작년에 실종된 한국인이 58명이야. 그러니 어떻게 찾을 수 있겠어? 당연히 못 찾지.

야, 그러고 보니 너는 정말 대단하구나! 그런 곳에서 탈출했으니까. 한국판 파피용이었네.

나 혼자서는 절대 불가능했지. 하지만 그곳에서 내 인생의 여자를 만났거든. 바로 나의 운명. 내가 죽음과도 바꿀 수 있을 만큼 사랑했던 여인을 만났어.

운명의 여인

그래? 어떻게? 넌 갇혀 있었잖아? 그게 어떻게 가능했어? 한국 여자? 아니면 필리핀 여자?

아 아 아 아. 내가 그랬지! 한가지씩 물어보라고. 너 그거 나쁜 버릇이야. 한꺼번에 여러 개 물어보는 거.

너무 궁금해서 그런 거지. 친구야! 너 인생의 여자라고 하니까. 내가 조용히 넘어갈 수 있겠어? 응? 안 그래?

아 알았어. 자자 진정하고. 내 찬찬히 조곤조곤 알려줄 테니 너무 조급하게 달려들지들 마셔잉. 알았제?

그 그래. 그래서?

우선, 그녀의 이름은 소피야. 소피 가르시아. 즉, 필리핀 사람이지.

어떻게 만난 거야?

내 방에 출입이 가능한 여자는 두 가지 부류가 있어. 첫째로 창녀. 일주일에 두 번 정도 내 방에 찾아와 대략 30분쯤 있다가 떠나지. 같은 여자가 여러번 올 때도 있었지만 대부분은 새로운 여자가 왔어. 그런데 내 방에 들어올 때, 한가지 룰이 있어. 알몸으로 들어왔다가 알몸으로 나간다는 거지. 즉, 감시하는 놈들이 샅샅이 체크하고 방에 넣어주는 거지. 둘째로 하녀. 대궐 같은 집 구석구석을 돌아다니며 집안일을 하는 여자들이지. 주로 내 방에서는 청소와 정리 정돈, 휴지와 같은 생활용품을 보충하곤 해. 하녀들은 잘 바뀌지는 않아. 그래서 낯이 익은 편이지. 그 하녀 중 한 명이 소피야.

이뻐?

이쁘면 놈들이 그냥 놔두겠어?

아니, 나는 너가 인생의 여자라고 하길래 무지 이쁜 줄 알았지.

내가 지금까지 사랑과 관련하여 수많은 좌절과 경험을 하면서 한가지 깨달은 게 뭔 줄 아니? 아, 아, 잠시만. 내가 깨달은 것을 말할게. 지금. 그건 말이야…. 사람들은…. 사랑을 주는 것에 줄곧 관심을 기울이지만 정작 중요한 것은, 사랑받는 거야. 그 왜, 그런 노래도 있잖아.

당신은 사랑받기 위해 태어난 사람.

우리는 얼핏 이렇게 생각하지. 사랑을 받는 것은 이기적이고 사랑을 주는 것은 헌신적이다. 하지만 내가 깨달은 것은 이거지. 내가 누군가의 사랑을 받고 있다고 느끼는 순간, 나는 비로소 내 사랑이 완성됨을 느낄 수 있었어. 그게 바로 소피의 사랑이야.

오, 로맨틱한데. 조필호. 그럼 그 소피가 네 방을 청소하면서 그렇게 사랑이 싹튼 거였어?

그렇다고 봐야지. 하지만 처음에는 무관심했지. 그럴 수밖에 없었거든. 그녀는 작고 깡마르고 볼품없게 생겼지. 나와 눈을 마주친 적도 없고 늘 심통한 표정이었어. 내 방에 들어올 때면 늘 하던 대로 신속하게 청소하고는 말도 없이 나가곤 했지.

그런데 어떻게 엮인 거야? 정말이지 너답지 않게.

그게 참. 이상했어. 나는 소피가 방에 들어오든 말든 신경도 안 쓰고 작업을 했거든. 사실 그럴 수밖에 없는 처지지. 프로그램 완성이 내가 죽느냐 사느냐의 관건이니까 다른 거에 신경 쓸 겨를은 없는 거지. 아마 내 입장이 되면 다들 그런 심정일 거야. 그런데 어느 날 나와 일절 말이 없던 그녀가 지나가는 소리로 뭐라고 하는 거 있지.

뭐라고 하던데? 영어로? 너에게?

응. 영어로 내게 물은 거지 혹은 그냥 혼자 중얼거린 건지는 모르겠는데 이러더군.

"자바네."

자바네? 그게 뭔 말이야?

아 그렇지 너는 모를 수 있겠다. 너는 컴맹이니까.

뭐야? 너 지금 나 놀리는 거야? 내가 가방끈 짧다고 지금 나 무시하는 거야?

아, 아니. 그런 거는 아니고. 친구. 오해는 하지 마. 자바(Java)는 그냥 프로그래밍 언어야. 원래는 인도네시아 자바 커피를 일컫는 말이기도 한데…. 이 언어를 개발하신 분이 자바 커피를 즐겨 마셔서 그렇게 이름을 지었다는 설이 있는데 사실은 그냥 단어 리스트 중 무작위로 뽑은 단어야.

그래서 그 자바가 어떻다는 거야?

나는 깜짝 놀랐지. 왜냐하면 내가 자바 언어로 프로그

래밍을 하고 있었거든. 즉 소피는 나의 모니터를 보고 그걸 이해한 거야. 그때까지 나는 그녀가 깡 시골에서 초등학교 정도 겨우 나온 뒤 도시로 상경해서 줄곧 이런 허드렛일이나 하는 걸로 착각하고 있었던 거지. 나는 멍청하게도 그런 선입견 속에 그녀에게 무심했던 거였어.

그럼 그녀도 프로그래머였다는 거여?

아니, 알고 보니 소피는 필리핀 대학생이었어. 한국어 전공이고…. 나는 재차 놀랄 수밖에 없었지. 그녀는 학비를 벌기 위해 일을 하고 있었던 거야.

오! 놀라운 반전.

그래, 마저. 놀랄 수밖에 없었지. 그때부터 우리는, 그녀가 청소하는 동안, 한글과 영어를 섞어 이것저것 여러 가지 이야기를 주고받기 시작한 거야. 사실 온종일 혼자 방구석에서 작업만 하다 보니 무척 외로웠거든. 그런데 갑자기 말동무가 생긴 거지. 게다가 나는 말더듬이잖아. 학생 시절보다는 많이 나아지긴 했지만, 여전히 좀 어눌하고 속도가 느렸거든. 그런데 그게 소피에게는 딱 맞춤인 거야. 우리가 만약 미국 사람하고 대화한다고 가정을 해봐. 그러면 그 외국인이 천천히 또박또박 영어를 하면 우리가 훨씬 쉽게 알아듣겠지? 그런 거와 마찬가지인 거지.

그래서 사랑이 싹트기 시작한 거야?

처음에는 그다지 끌리지 않았어. 내가 말했잖아! 못생겼다고…. 그러니 그냥 심심풀이로 이것저것 이야기만 했지. 그러다 보니 소피에 대하여 여러 가지를 알게 되었는데, 점점 가면 갈수록 꿍짝이 잘 맞다는 느낌이 들기 시작한 거야. 하지만 그렇다고 해서 사랑이나 끌림을 느낀 거는 아니었어. 그냥 대화 상대가 없으니까 한 거지…. 뭐, 별다른 의미는 없었어.

그럼, 무슨 계기가 있었던 거야? 사랑이라는 감정이

너를 찾아오게 된?

시간이지. 그래, 시간이 우리에겐 계기가 된 거야.

시간이라고?

응. 어느 정도의 시간이 흐른 뒤였지. 문득 내가 그녀를 기다리고 있는 있다는 사실을 발견한 거지. 그녀와 있으면 편안했어. 저 나쁜 놈들에게 납치되어 언제 죽임을 당해도 이상하지 않은 시절이었잖아? 그런데 무척 살고 싶어지더라고. 그녀가 나타나면 반갑고 그녀가 방을 나서면 서운했어. 그녀가 오기를 기다리고 그녀에게 오늘은 무슨 이야기를 할까를 고민하게 되었어.

그녀에게서 뭔가 모르는 매력을 발견한 거구나?

그래, 그걸 나는 <사랑받기>라고 정의했어. 소피의 말, 행동, 표정, 느낌, 몸짓에서 나를 사랑하고 있다는 숱한 메시지가 내게 쏟아진다고 느낀 거지. 그리고 그 속에서 비로소 나는 내 속을 아우르는 진정한 행복을 느낀 거고. 내가 결국 내 인생에서 갈구하던 게 딴 게 아니었어. 바보같이 그동안 쓸데없는 여자들과 쓸데없이 시간 낭비를 하고 있었던 거지.

너가 갇혀 있어서 그런 느낌을 강하게 받은 것은 아니고?

그럴 수도 있겠지. 그래, 마저. 누구나 나 같은 상황이 되면, 고통과 공포를 잊기 위해 본능적으로 누군가에게 매달릴 수도 있을 거야. 그런 가능성을 염두에 둔 것도 사실이었어. 내 운명의 여인으로 치부하기에는 여전히 석연치 않은 부분이 틀림없이 있긴 있었지. 내가 진정으로 사랑하는 건지? 아니면 그냥 현재 상황에서 예상치 않게 받게 된 사랑에 그냥 잠시 눈이 먼 건지?

그래서 그녀와 탈출을 도모한 거야?

그녀가 먼저 제안했어. 나를 탈출 시켜 해방된 공간에

서 자유롭게 사랑을 하고 싶다고 하더군. 이 세상 어디든지 우리 둘만의 공간만 있다면 그곳에서 같이 살고 싶다고 하더군. 아기도 낳고 말이야. 하지만 처음에는 꽤 망설였어. 아무리 생각해도 탈출할 가능성이 없어 보였거든. 만약 다시 잡혀 온다면 소피는 쥐도 새도 모르게 죽임을 당할 거잖아? 그런 불확실성에 내 여인의 운명을 맡길 수는 도저히 없었어. 그런데 그 시점에 민숙이가 죽었어.

그 디자이너?

그래. 불쌍한 우리 민숙이. 누구는 두들겨 맞아서 죽었다 하고 누구는 스스로 혀를 깨물고 죽었다 하고 또 누구는 잦은 성행위로 인한 바이러스 감염으로 죽었다 하고…. 누구 말이 옳은지는 알 수 없었어. 다만 그녀를 보며 내 미래는 정확히 감지할 수 있었지. 나도 같은 신세니까. 그래서 그녀의 죽음에 고통과 절망, 분노가 차올랐지. 하지만 어떡하겠어? 화가 난다고 내가 할 수 있는 것은 정작 아무것도 없었으니까.

하지만 한가지, 그녀의 죽음 때문에 생긴 변화가 발생했지. 내가 개발하는 도박 시스템. 그래픽 없이는 진행할 수가 없다는 것은 삼척동자도 알 수 있는 법. 어쩔 수 없이 작업이 중단될 수밖에 없었던 거야. 다음 디자이너가 올 때까지 나는 아무 일도 못 하는 상태가 된 거지. 그러자 놈들이 내게 허드렛일을 시키기 시작했어. 여러 가지 잔심부름부터 시작해서 청소, 벌초, 수리 등등. 워낙 큰 저택이라 그런지 할 일은 태산이더구먼.

즉, 납치되고 나서 처음으로 방 밖으로 나올 수 있었던 거야. 그리고 그 시점에는, 나를 감시하는 놈들하고도 제법 친해진 상태였지. 한 번씩 농담도 주고받고 담배도 같이 피우고 술도 한 잔씩 같이 마시곤 했지. 다시 말해, 나에 대한 경계가 느슨해졌다는 신호지. 나는 이때가 탈출할 수 있는 절호의 기회라는 것을 느꼈지. 왜냐하면 새로운 디자이너가 오게 되면 곧바로 다시 갇히게 될 게 뻔한 거잖아?

그래서 어떻게 했어?

어떻게 하긴? 일단 일을 하면서 주변을 샅샅이 눈으로 스캔하기 시작했지. CCTV의 위치, 보초들의 동향, 집과 부속 건물들의 구조, 외부로 뻗은 도로 등등 모든 것을 살펴보았지. 하지만 틈이 보이지 않았어. 감시하는 눈도 너무 많았고…. 게다가 새로 뽑은 디자이너가 며칠 뒤면 도착할 거라는 통보도 받았어. 거의 절망적인 절박함을 느끼고 있을 때, 소피가 한 가지 제안을 하였어.

그래? 그게 뭔데?

청소차. 외부로 직접적으로 연결된 거의 유일한 거였어. 집도 크고 식솔들도 많다 보니 쓰레기양이 엄청났지. 게다가 그때가 9월이었거든. 우기에다가 막 태풍도 지나간 상태였어. 어수선했지. 그리고 청소차는 한 달에 네 번. 늘 새벽에 식당 앞에 머물다 돌아갔어. 그래서 나는, 청소차가 오는 그날, 그 새벽, 놈들이 내게 쓰레기 치우는 일을 시킬 것을 학수고대했지. 완전히 복불복이었지.

그들의 명령 없이는 나는 방에서 한 걸음도 나올 수 없는 상태였으니까.

그런데 내가 뭐랬지? 태풍이 휩쓸고 갔다고. 하하하. 그래. 그날은 처리해야 할 쓰레기가 산더미 같이 쌓여있었던 거야. 게으른 놈들이 나를 절대로 가만둘 수가 없지. 당연하게도 그날 새벽에 불려 나갔지. 그리고 그 쓰레기 차에, 나는 소피의 도움으로 여러 장의 검은 비닐을 뒤집어쓰고 들어갔지. 아마 내 생에 가장 긴장되고 더럽고 가슴 졸인 적이 그때였을 거야.

아무튼 청소차가 집 대문을 통과하자마자 자동차 한 대가 따라붙었어. 소피의 사촌이 모는 차였어. 이미 소피가 연락해 두었거든. 그는 청소차를 세우고 나를 쓰레기 더미에서 구해냈지. 그리고 입막음 돈을 그 청소 운전사에게 안겼고. 그래, 그렇게 된 거야.

다음날 나와 소피는, 장시간의 버스 여행 끝에 그녀의 고향에 도착했지. 한적한 어촌이었어. 모두 나를 반기더군. 정말이지 무척 순박한 사람들이었어. 나는 늘 불안했지만, 그곳에서 진정한 행복을 느꼈어. 내가 그랬지? 사랑의 완성은 받는 것이라고. 나는 감당할 수 없을 정도로 뜨거운 사랑을 소피에게서 받고 있었던 거야. 그러니 지금까지 내 삶을 규정하던 쾌락, 탐욕, 퇴폐, 향락 같은 온갖 것들이 얼마나 나를 갉아 먹고 있었는가를 뼈저리게 느낄 수 있었지.

그런데 왜 다시 한국으로 오게 된 거야? 그냥 거기서 쭉 살지 않고?

쭉 살고 싶었지. 평생 그렇게 정말이지 너무너무 거기서 살고 싶었어. 아침에 눈 뜨면 찬란한 태양을 마주하며 작은 고깃배에 몸을 싣고, 그날 먹을 정도의 생선만 잡아서 소피가 차려준 밥을 함께 먹고 붉은 석양이 방의 천장을 비추면 사랑을 나누는…. 그런 삶을…. 눈물 나도록 오랫동안 누리고 싶었어.

왜 그렇게 할 수 없었던 거야?

일단, 소피의 고향에서 오랫동안 머물 수는 없었어. 벤틀리가 그냥 포기할 인간이 아니거든. 게다가 필리핀에서 그놈의 영향력이 대단하다는 이야기를 졸개들한테서 여러번 들었거든. 실제로 내가 갇혀 있던 그 저택에 유력 인사와 정치인, 검경 관계자들이 여러번 방문하기도 했다고 하더군. 그래서 그놈이 찾을 수 없는, 아무 먼 곳으로 가야만 했어. 그러려면 돈이 필요했고.

한국의 은행에 있는 나의 돈을 모두 이곳으로 가져오기로 결심하고 알아보기 시작했어. 그런데 나는 놈들에게 나의 여권, 신분증, 신용카드까지 모두 뺏긴 상태니뭘 어떻게 할 수가 없는 거야. 내가 직접 한국에 가서 가져오는 수밖에는…. 그래서 소피를 남겨두고 어쩔 수 없이 한국으로 가게 된 거야.

여권도 없이 어떻게 올 수 있었어?

위조 여권을 만들었어. 소피가 도와줬지. 만약 내 여권이 있었다고 해도 사용하지는 않았을 거야. 틀림없이 벤틀리 그놈이 필리핀 경찰에 무슨 조치를 해 놨을 것 같았거든. 뭐, 출국 금지라든지….

그래서? 한국에서 돈을 챙겨 필리핀으로 다시 간 거야?

만약 그랬다면 내가 지금 이 자리에서 너와 이렇게 살갑게 대화를 나누고 있진 않았겠지. 안 그래? 필리핀에서 계속 살았을 테니까.

그럼 왜 못 돌아간 거야?

우선, 내 통장 잔고가 모두 0원이었어.

그럼?

그래, 벤틀리 이놈 새끼가 내 여권과 신분증에다, 내 집을 몽땅 뒤져 통장에 인감도장까지 싹 가져가서 모든 돈을 탈탈 털었던 거지. 그리고 유일한 나의 부동산. 집까지 팔아먹었더군. 이 죽일 놈의 새끼가 말이야.

그래서 그 후로는 소피를 한 번도 보지 못한 거야?

한동안 연락을 하지 못하다가 겨우겨우 소피의 사촌과 연락이 닿았어. 그런데 우려한 대로 벤틀리 그놈이 끌고 갔다고 하더군. 불쌍한 우리 소피를 말이야.

그럼, 소피는 죽은 거야?

죽은 정도가 야냐! 이 악마 새끼들이 장기 적출까지 했다는 거야! 그래서 택시 운전사가 되었어. 낮에는 프리랜서로 재택근무 프로그래밍하면서 밤에는 택시를 몰고 그놈, 벤틀리 일당을 찾기 시작했지. 돌아다니다 보면 언젠가는 내 눈에 한번은 띨 줄 알았어. 내 삶은 그때부터 오직 한 가지 길뿐이었지.

복수

복수?

그래. 복수. 내 여인을 앗아간 그 연놈들을, 내가 받은 고통만큼, 아니 그 곱절로 되돌려 주는 거. 그것만이 나의 유일한 삶의 의지였어. 그리고 그때쯤 나는 이곳 흥민 빌라로 왔지. 그리고 너도 끌어들인 거고.

여기로 굳이 온 이유가 있어?

그럼, 이유가 있지. 이 동네 처음 왔을 때 분위기 어땠어?

썰렁했지. 음산하고. 낮인데도 쥐새끼 한 마리 보이지 않고. 다들 노인들만 살고.

그래, 바로 그거야. 진정한 복수를 위한 최적의 장소지. 나는 할리우드 액션 영화를 예전부터 보면서 느낀 건데…. 악당들을 결국에 주인공이 죄다 죽이고는 아주 만족스러운 표정으로 결말 짓는 것을 보면서…. 참 멍청하고 바보 같은 영화라는 생각을 줄곧 해왔거든.

그게 멍청하다고? 악당을 죽인 게?

그렇지. 죽음이 뭐야? 죽으면 그냥 돌이나 흙 혹은 먼지가 되는 것뿐이야. 즉, 아무것도 아닌 게 되는 거지. 무슨 말인지 알겠어? 죽은 이는 고통을 느끼지 못한다는 말이야. 그게 무슨 복수야? 그건 악당에 대한 복수가 아니라 은혜야! 은혜. 그래서 나는 사형제도를 반대하는 거야. 그런 나쁜 놈들은 죽이면 안 되는 거야! 끝까지 살려서 아주 오랫동안, 자신이 고통을 준 것만큼 혹은 그 이상 고통을 받게 만들어야 하는 거야. 무슨 말인지 알겠지?

어, 대충 느낌은 알 수 있을 거 같애. 그러니까 그 뭐야, 최민식 주연의 올드보이하고 비슷한 거네. 아무 영문도 모른 채 골방에 갇혀 군만두만 줄곧 먹은 거.

그렇지. 바로 그거였어. 그래서 흥민 빌라 404호와 너가 살게 될 504호를 빌렸지. 나쁜 놈들을 위한 나만의 감옥을 만들고 싶었던 거지. 하지만 도저히 생각해도 혼자서는 안될 것 같더라고. 그래서 믿을 만한 사람을 구하기로 했지.

아하! 그게 바로 나구나?

그렇지.

그런데 왜 나지? 나를 신뢰할 만한 근거가 있었던 거야?

너는 나와 흡사하잖아. 그게 이유야.

너가 나와 닮았다고? 정말?

그래, 너! 너는 나의 판박이야. 물론 생김새는 하늘과 땅 차이지만. 하하하

우씨! 너 죽을래?

헤헤헤. 바보 같은 소리. 너와 나는 죽을 수 없다는 거 너도 잘 알고 있잖아?

그, 그래. 그건 잘 알고 있지. 그런데 도대체 뭐가 나와 너가 닮았다는 거야?

너도 한 때 쫌생이에 숙맥이었잖아. 맞지?

그, 그랬지. 결혼 10년 차까지는.

그리고 한국 최고의 대학을 나와 한국 최고의 기업에서 근무했었잖아. 그러니 나만큼 똑똑한 거고.

그랬었지.

그러다 어떻게 되었지?

어떻게 되긴. 너도 잘 알잖아…. 너가 만든 노예팅에 빠져 이혼당하고 돈, 자식 다 뺏기고 결국 어설프게 사기 치다 감방 갔다 왔지.

노예팅에만 빠진 게 아니잖아?

아, 물론 그것 말고도 나쁜 짓을 좀 하긴 했지. 도박, 마약, 성매매, 알코올 중독 뭐, 그런 거지.

거 봐! 나와 판박이잖아! 똑똑하지만 쾌락과 관련한 중독에 매우 취약한 점. 그러다 결국 인생 종 친 것까지.

그래, 그러고 보니 닮긴 좀 닮았네. 아무튼 집도 절도 없이 떠돌던 나를 이곳으로 데려와 준 것은 항상 고맙게 생각하고 있어.

뭘? 고맙긴…. 다 내가 필요해서 너를 끌어들인 것뿐인데…. 아무튼 나는 공을 들여 우리의 빌라에 멋진 방음장치를 하고 창문은 쇠판으로 아주 꼼꼼하게 막았지.

자물쇠도 아주 튼튼한 것으로 마련하고. 그리고는 벤틀리 일당을 찾아 나섰지.

어떻게 찾은 거야?

나를 필리핀으로 끌어들인 년이 누구였지?

제니?

그래. 우선 그년부터 찾기 시작했지. 왜냐하면 그년의 활동무대는 빤한 거 아냐? 고급 룸살롱이 많은 곳이겠지. 강남 일대. 매일 밤 택시를 끌고 나가 강남 주변을 돌아다녔지. 돈도 필요했으니 돈도 벌면서 끈질기게 감시했던 거야.

일종의 잠복 수사 비스무리 한 거네?

그렇다고 봐야지. 그러던 어느 날 드디어 그년을 봤지. 새벽 3시쯤 주점 앞에서 비실거리며 택시를 기다리고 있더군. 잽싸게 태웠지. 다행히 그년은 술이 떡이 된 채, 내 얼굴도 기억 못 한 채, 태연히 뒷자리에 쓰러져 코까지 고는 거 있지. 그래서 간단하게 그년을 우리 빌라로 끌고 왔지. 물론 전기 충격기로 몇 번 찌진 후에.

그리고 그날 밤. 나의 멋진 교도소 <홍민 빌라 404호> 첫 수감자에 대한 세리머니를 간단하게 했지.

어떻게?

강간. 오랜만이라, 그동안 제니에게 쌓인 애증의 회포도 풀 겸. 겸사겸사.

내가 왔을 때, 여자는 못 본 거 같은데?

아, 그게 그럴만한 사연이 있어. 내가 처음에 얘기했잖아. 기억나? 강간 미수로 징역 살았다고 한 거?

아, 그래. 그랬지. 악녀를 만났다고.

그래, 그때가 바로 제니를 납치하고 나서 얼마 지나지 않은 시점이었어.

그럼, 너는 제니를 빌라에 남겨두고 감옥 간 거야?

어쩔 수 없이 그렇게 된 거지. 재수 없게. 제니 입장에는 축복이고 나에게는 고통이었지.

제니가 어떻게 되었는데?

내가 말했지? 특사로 풀려났다고. 그래서 집에 와서 보니까 바싹 말라 죽어 있었어. 마치 고대 이집트 피라미드에서 나온 미라처럼 느껴졌어.

너 강간 혐의로 끌려 들어갈 때 경찰이 가택 수색 같은 거 안 한 거였어?

하하하. 그건 걱정할 필요가 없지. 내가 사는 공식, 집은 504호니까. 404호는 그냥 교도소거든.

그러니까 너는 제니가 빨리 죽은 게 고통스럽다는 거지?

그래. 그거야. 제니 같은 악녀는 아주 오랫동안 고통 속에 살다가 천천히 죽어야 했었는데…. 너무 아쉽게 되었지. 그래서 내가 너 같은 친구를 찾아다닌 거야. 아무래도 나의 프로젝트를 혼자 하기에는 변수가 너무 많다는 것을 느낀 거지.

그런데 그렇게 사설 교도소를 운영하려면 돈도 적지 않게 들 텐데? 죄인들 밥값도 꽤 필요할 거고.

그건 제니의 덕을 좀 봤지. 그년이 저축한 돈이 제법 많더라고. 집에 꿍쳐둔 금고와 패물도 엄청나고.

그거 그러다 경찰한테 꼬리 밟히는 거 아녔어? 제니가 비록 술집 여자지만 실종 신고는 들어갔을 텐데.

그것 또한 걱정할 필요가 없어. 왜냐하면 일단 나의 신분은 모두 가짜야. 죽은 부랑아 것을 도용했지. 게다가 내가 누구야? 컴퓨터 박사잖아! 검찰청 사이트 해킹해서 제니 관련 부분은 싹 삭제했지.

아무튼 대단하구먼. 내가 여기 왔을 때, 404호에 갇힌 사람이 5명이었잖아? 모두 남자였고. 그럼 그중에 벤틀리가 있었던 거야?

아니. 벤틀리는 계속해서 필리핀과 동남아 쪽으로만 돌아다녀 잡지 못했어.

그럼, 그들은 누구야? 그들은 어떻게 잡은 거야?

제니의 휴대폰에서 모든 단서를 잡았지. 그놈들은 모두 벤틀리의 한국 심복들이고, 한 놈씩 한 놈씩 꾀어내 잡아들였지. 내가 교도소만 가지 않았으면 더 잡을 수 있었는데, 이미 저들 사이에 소문이 퍼졌는지 대가리 몇

놈은 해외로 튀었더구먼. 아쉽지만 어쩔 수 없었지. 아무튼 가장 중요한 것은, 벤틀리를 잡는 거니까⋯. 거기에 집중했지.

아, 그래서 너가 마카오로 간 거였어?

맞아. 잡혀 온 놈을 추궁하니 한 놈이 술술 불더군. 벤틀리가 마카오에서 카지노 사업을 시작했다고. 그래서 간 거지. 하지만 무작정 떠날 수는 없지. 호랑이 굴에 들어가려면 적어도 사자 정도는 되어야 맞장을 뜰 수 있으니까. 그래서 우선, 사장을 찾아갔지.

사장이라면? 그 노예팅 사장? 경찰에 잡혀갔다고 하지 않았나?

벌써 풀려났지. 내가 그랬잖아. 돈으로 안 되는 게 없는 세상이라고. 엿 같지만, 현실이 그런 걸 어떡하겠어.

그 사장은 또 다른 사업 하고 있던 거야?

아니. 완전히 은퇴했더군. 그럴 만도 하지. 죽을 때까지 펑펑 쓰고도 철철 남을 정도로 돈을 벌었으니 굳이 위험한 일 하기 싫은 거지.

어떻게 찾은 거야?

제주도에서. 예전에 제주도 별장에 몇 번 가봤거든. 그러니 뭐, 쉽게 찾았지.

그래, 그 양반은 거기서 뭐 하면서 놀던가?

뭐, 개 버릇 남 주겠어? 똑같아. 낮에는 낚시하고 밤에는 술집 작부들하고 농담 따먹기하고 있더군.

그런데 그 사장한테 간 특별한 이유가 있었던 거야?

돈 꾸러 간 건지. 뭐. 딴 게 있겠어?

그 사장은 어떤 사람이야? 그냥 순순히 돈을 주던?

사정했지. 필리핀에 납치되어 돈 다 뺏기고 겨우 몸만 빠져나왔다. 그래서 지금 빈털터리다. 그러니 먹고 살 정도의 돈만 돈 빌려다오. 옛정을 생각해서…. 뭐 그렇게 애원했지.

그러니 뭐래? 그냥 빌려주던?

그 사장도 꽉 막힌 사람은 아니거든. 게다가 영악하기도 하고. 속으로 손익계산을 했겠지. 게다가 내가 그 사장의 비리를 너무 잘 알고 있잖아. 비록 그가 자유의 몸이지만 엄연히 집행유예 상태인데…. 자칫 내게 밉보였다가 덤터기 덮어쓸 수도 있으니까…. 그렇지 않겠어? 좋은 게 좋은 거니까…. 게다가 내가 큰돈을 요구한 것도 아니고 말이야.

그런데 너는 어디에 쓰려고 돈을 빌린 건데?

도박.

도박이라고? 너 필리핀에서 도박 때문에 그렇게 당하고도 도박하고 싶었어?

어쩔 수 없었어. 벤틀리에게 다가갈 방법은, 내가 도박꾼이 되는 수밖에 없었으니까…. 그래서 곧바로 강원랜드로 달려갔지.

아, 그러고 보니까 그 영화 생각난다…. 더스틴 호프만 주연의 <레인맨> 거기 보면 비상한 기억력으로 돈을 막 휩쓸던데.

그래, 나도 그 영화 봤지. 그 외에도 도박, 카지노 관련 영화는 다 훑어봤지. 관련 책도 많이 보고 연구도 많이 했지. 사실 절박했거든. 카지노에서 돈을 따야만 했으니까. 그래서 꼬박 육 개월 동안 카지노에서 살았어.

카지노에도 여러 가지 종류가 있을 거 아냐?

블랙잭만 했어. 실제로 블랙잭 공략 관련 서적도 가장 많았고. 또 나처럼 머리가 뛰어난 사람에게도 유리한 게 많았지.

그래서 완벽한 도박꾼이 된 거야?

완벽하지는 않지만, 생활비 정도는 벌게 되었지. 그리고 성형을 하기 시작했어.

성형? 너 얼굴을? 그 잘생긴 얼굴에 뭐 손볼 게 있다고?

얼굴뿐만이 아니라 몸도 키웠지. 즉, 벤틀리가 나를 도저히 알아볼 수 없게 만든 거지. 그 모든 과정을 마친 후 나는 비로소 마카오로 간 거였어.

그래서 벤틀리는 쉽게 만난 거야?

꽤 시간은 걸렸어. 하지만 마카오가 그다지 큰 동네는 아니잖아? 그러니 결국 마주칠 수밖에 없었지.

어디서 만난 거야? 카지노에서?

아니. 모 카지노가 운영하는 호텔의 스파에서.

그럼 벗은 채로 만난 거야?

적어도 가운은 입고 있었지. 생각해 보면 좀 이상한 곳이었어. 큰 홀이었는데 특정 시간이 되자 많은 남자가 모여들기 시작했어. 그리고 잠시 후, 여자들이 팬티 한 장 만 걸치고 나타나더군. 정말이지 세계 각국의 미인들이 모두 모여든 것 같았어. 백인, 흑인, 황색인, 동양인, 서양인 등등 그야말로 인종의 각축장 같았어. 그리고 모든 남자와 여자는 각자의 번호가 있었는데 서로가 선택하는 거야. 일차로 선택된 커플이 사라지면 다시 이차 투표. 그러면서 점점 남녀가 줄어들기 시작하더군. 나는 여자보다는 남자에게 관심이 있었으니까 선택을 하지 않고 계속 지켜보고만 있었지. 그리고 마침내 그놈. 벤틀리를 보게 된 거고. 나는 그놈이 선택되자마자 바로 나도 선택을 했지.

우리는 안내인을 따라 각자의 방으로 갔고. 나는 놈의 뒤에 따라가면서 일부러 큰 소리고 한국말을 했어. 그러니까 그놈이 힐끗 한번 쳐다보더군. 잊지 못한 그놈의 상판대기. 아마 그 자리에 흉기라도 있었으면 바로 찔렀을지도 몰라. 하지만 꾹 참았지. 그냥 죽일 수는 없지. 끝까지 살려서 순간순간 고통받게 만들어야 했으니까.

그래서 그놈을 어떻게 포섭해서 한국으로 끌고 온 거야?

잔말 말고 끝까지 들어봐. 아무튼 우리는 밀폐된 공간이 있는 개인실 바로 옆에서 정사를 치렀지. 나는 혹시나 싶어 내 파트너에게 그놈에 관해 물어봤는데 잘 모르는 눈치였어. 아무튼 나는 잽싸게 일을 끝내고 여자를 돌려보낸 다음, 옆방에 귀를 기울였어.

마침내 문 여는 소리가 나더니 그놈이 나오더군. 이때다 싶어 나도 나갔지. 그 순간, 우리의 시선이 다시 마주친 거야. 붉은 조명이었지만 녀석의 얼굴은 선명했어. 내가 멋쩍은 자세로 고개를 까닥거리자 녀석이 내게 말을 걸더군.

"한국 분이신가 봐요?"

"아, 네. 그렇습니다. 그럼 그쪽도 한국에서 오신?"

"네. 당연합니다. 그러니 이렇게 한국말 하지 않겠습니까. 하하하"

녀석이 나를 전혀 알아보지 못하더군. 나는 속으로 쾌재를 불렀지.

"그럼 관광차 오신 건가요?"

나는 시치미를 딱 떼고 물었지.

"아. 네. 저는 여기서 조그만 사업을 하고 있습니다."

"아, 그러세요? 그럼 무슨 사업을? 초면에 실례가 안 된다면?"

"하하하. 마카오에서 무슨 사업을 하겠습니까? 당연히 카지노입니다."

나는 이때다 싶었지. 바로 내가 가장 궁금해하던 것이 었으니까.

"아, 그러세요. 그거 잘되었군요. 어디 카지노인가요?"

"우리 카지노는 크지는 않습니다. 다만 고객분들의 충 성도는 무척 높습니다. 아는 사람은 알지만 한 번만 방 문한 사람은 없다는 곳으로 유명하고요. 하하하"

"아하! 그렇게 말씀하시니 더욱 궁금합니다. 사실 제가 웬만한 카지노는 다 가봤거든요. 라스베이거스는 당연하고 모나코, 칸, 니스, 독일의 바덴바덴, 이탈리아의 베네치아 등등"

"그럼 혹시 블랙 드래곤 카지노라고 들어 보셨습니까?"

그래, 바로 그거였어. 내가 그토록 찾던 그놈의 카지노. 나는 다음날 그곳으로 갔지. 어디선가 나를 지켜 보고 있을 거라는 생각에 확실한 방점을 찍기 위하여 큰돈을 날렸어. 그리고 일주일 뒤 다시 방문해서 더 큰 돈을 날렸지. 나는 매일 여러 군데의 카지노를 돌면서 돈을 딴 다음 녀석의 카지노에서 전부 꼬러 박았던 거야. 즉, 벤틀리 그놈이 나를 완전한 호구로 착각을 들게 했던 거지.

내가 너에게 연락할 때가 바로 그때였어. 너 기억나?

당연하지. 너가 웹디자이너 알아봐 달라고 했잖아. 그리고 목소리 좋은 여자 알바생도.

그래. 맞아. 나는 급하게 웹사이트를 만들었지. XX 캐피탈. 너도 알지?

당연히 잘 알지. 근데 나는 아직도 그게 궁금해. 어떻게 그렇게 멋진 홈페이지를, 그것도 영문 홈페이지를 단 며칠 만에 만들 수 있었던 거야?

간단해. 모두 베꼈거든. 홍콩의 유명한 캐피털 사이트를 고대로 가져와서 디자인과 로고, 배너만 바꾼 거야. 뭐, 일도 아니었어. 내가 예전에 노예팅 사이트 만들 때나 똑같은 거였어.

아무튼 그렇게 하고 나서 한 달쯤 지난 뒤, 나는 그날도 거액의 돈을 놈의 카지노에 다 갖다 바치고 녀석을 찾았어. 이미 카지노에서 나는 큰 손으로 소문이 난 상태라 녀석이 헐레벌떡 뛰어오더군. 돈을 좀 빌려달라고

했지. 물론 녀석이 그냥 빌려주지는 않지. 확실한 신용보증. 나의 여권. 그리고 내가 내민 명함에 적힌 홈페이지를 훑어봤겠지. 놀랄 만큼 완벽한 캐피털 사이트. 그리고 그 사이트에 표기된 전화로 물어보겠지. 그러면 우리가 고용한 멋진 목소리의 알바생이 이렇게 대답했겠지.

"네. 저희 회장님은 중국 출장 중이십니다."

"네. 일 년에 100일 정도는 해외에 머물러 고요."

"네. 해외 지사가 많으십니다."

"네. 한 달 전에 예약하지 않으면 회장님 만나 뵙기가 좀 어려우실 겁니다만…. 실례지만 누구라고 전해 드릴까요?"

그래도 의심이 많은 우리의 쪼잔한 새끼 벤틀리는 내가 요구한 절반 정도의 돈을 빌려주더군. 그리고 나는 이때다 싶었지. 아주 확실하게 거액의 돈을 땄거든. 그리고 고마움의 표시를 했지. 그놈이 빌려준 돈과 이자에 추가로 보너스까지 보태서 녀석에게 안겼거든…. 녀석의 표정에서 읽을 수 있어서…. 나를 무척이나 좋아하고 신뢰한다는 그 들뜬 표정. 크크크…. 그때 나는 결정적인 제안을 했지.

"사장님. 덕분에 오늘은 무척 운이 좋았습니다. 언제 한번 한국에 오시면 제가 칙사대접을 하겠습니다. 꼭 오셔서 연락해 주십시오. 이건 제 개인 휴대폰 번호입니다."

그래, 그거였어. 내가 한국에 돌아와 일주일도 안 되어서 연락이 온 거 있지. 지금 공항이라고…. 그래서 내가 물었지. 혼자냐고? 그러니까 놈이 아무 의심 없이 그렇다고 하더군. 하하하. 바보 같은 녀석. 그래서 내가 주소를 불러줬지. 이곳. 흥민 빌라 근처로. 내가 현재 머무는 별장이라고 하면서 말이야.

그래서 결국 그놈을 잡게 되었구나. 하하하.

그랬지. 내 생에 가장 짜릿하고 행복한 순간이었어. 나는 놈을 가두고 아주 오랫동안 고통 속에 살도록 지극 정성을 쏟을 생각이었어. 정말이지. 그것만이 나의 운명. 내 여자에 대한 속죄의 길이었거든. 하지만….

그래, 하지만이지….

흥민 빌라

그러게, 말이야…. 하필이면 그때 그 사건이 터질 줄이 야…. 자, 자 잠깐. 조용해 봐! 뭔 소리가 들리지 않아?

무슨 소리? 바람 소리, 낙엽 소리, 자동차 소리, 새소 리, 옆집 아줌마 빨래하는 소리?

아니. 발소리. 들리지 않아?

어, 그러고 보니 난다. 그래 맞아. 이건 구두 소리야. 따각따각.

한 명이 아닌 것 같은데? 그렇지?

맞아. 여러 명이야. 빌라 복도에 울려 퍼지고 있어.

누구지? 아침부터.

자, 잠깐. 그들이 멈추었어.

그러게. 갑자기 멈췄네. 사람 말소리도 들려. 그렇지? 들리지?

그래. 웅성거리는 소리. 적어도 두 명 이상이야. 확실해.

어? 이 소리 들려? 디지털 소리. 스마트키 누르는 소리.

그래, 그들이 지금 404호로 들어오고 있어. 우리 집으로 오고 있단 말이야.

보여? 저 인간. 번지르르하고 음흉한 미소를 지으며 뒤룩뒤룩 살찐 배를 흔들며 앞서 걸어오고 있는 놈. 보이지?

그럼. 당연하지. 저놈은 볼 때마다 공포가 밀려와. 우리 집주인이네.

집주인은 개뿔. 그냥 대리인이야. 여기 빌라 주인은 캐나다에 사는 할머니야. 저놈은 대리만 하는데 아주 나쁜 놈 중에 나쁜 놈이지. 이 삭막하고 버려진 동네에 대형 물류 센터가 몇 개나 들어오고 고속도로까지 뚫려 집값이 천정부지로 치솟으니까 여기 빌라 입주민들에게 전세 계약해서 목돈 받아 처먹고는 집주인에게는 월세 했다고 코딱지만큼 송금하는 놈이지. 저놈이.

그럼, 집주인은 이 동네 시세 뜬 거 모르는 거야?

당연히 알 턱이 없지. 아직도 을씬런스러운 시 외곽의 버려진 땅으로 알고 있지. 저 대리인 놈이 알려 줄 리가 없지. 그런데 그 할머니 집주인 소유 빌라가 여기 흥민 빌라만 있는 게 아니야.

그럼? 다른 데도 있어?

제법 많아. 우리 옆 동네 희찬 빌라, 다리 건너 강인빌라, 거기서 쪼끔 더 시 쪽으로 들어가면 재성빌라와 우영빌라, 민재빌라 거기서 또 산 쪽으로 쭉 들어가면 인범빌라까지…. 한마디로 부동산 재벌이야.

와! 뭐로 그렇게 떼돈을 벌었는데?

떡볶이와 마약 김밥으로.

와! 대단하다!

그 할머니가 자랄 때 너무 가난해서 그냥 돈만 생기면 닥치는 대로 싼 빌라를 샀다는 거야.

선견지명은 있었네.

그러면 뭐 해? 그러면 뭐 하냐고? 저 악마 같은 대리인 새끼의 알랑방귀에 넘어가 할머니는 캐나다 큰딸 집으로 가버리고 저놈이 혼자서 다 해 처먹고 있잖아. 지금. 마치 자기가 집주인이 마냥. 아 나도 떨린다. 저놈 새끼. 조각조각 찢어서 갈아 먹어도 시원찮은 놈.

그러게. 나도 너무 떨려. 숨을 제대로 못 쉴 지경이야.

하하하. 너가 숨을 왜 쉬니?

아, 그런가? 몰라. 나도 한 번씩 착각하곤 해. 야! 그런데 저 대리인 놈 뒤에 따라 들어오는 사람 보여?

그럼 보이지. 젊다. 신혼부부인가 봐. 여자 배가 남산만하네.

그러게. 몇 달 안 남은 거 같은데.

야, 저 신혼부부 보니까 부럽고 좋긴 한데. 어떡하냐? 저 사이코패스 같은 대리인에게 또 당할 것 같은데.

그러게. 걱정이다. 그때, 예전에 우리 옆집 403호 신혼부부처럼 말이야?

마저. 딱 보니 불길하기 짝이 없네. 저놈이 무슨 짓을 할지…. 저것 봐! 저거 보여? 저 음흉한 웃음. 저놈이 또 말은 청산유수야. 아무튼 저 말에 속아 넘어가지 않은 사람이 드물어.

쉬 쉿. 그래 저놈이 뭐라 하는지 한번 들어보자.

"남편분이 여기 물류회사 다니시는 거죠?"

"아. 예. 맞습니다. 이번 달부터."

"하하하, 운이 참 좋으십니다. 오자마자 우리 흥민빌라를 보게 되었으니. 단언컨대 여기 일대에서 이보다 더 싸고 좋은 집은 없습니다. 아마 몇 군데 더 둘러보실 거지만…. 제가 보장합니다. 이 시세에 이런 집. 가성비 최고라고 말씀드릴 수 있습니다."

"네. 저도 여기 흥민빌라 얘기를 좀 들었어요. 무척 싸다고."

"맞습니다. 어디서 들으셨는지는 모르겠지만 정확한 정보입니다. 게다가 제가 3년 전에 최고급 마감재로 리모델링을 했어요. 여기 보시면 알겠지만⋯. 빌라가 아니라 맨션이라는 느낌이 들지 않습니까?"

"네. 무척 고급스럽네요."

"부군이 안목이 좀 있으시네. 값싼 중국제는 일절 취급을 안 했어요. 대부분 순수 국산 혹은 유럽에서 직수입한 제품들로 시공을 했거든요. 아마 살아 보면 그 차이를 팍팍 느끼실 겁니다."

저, 더러운 새끼! 말하는 거 봐! 입만 열면 구라야! 전부 메이드 인 차이나야! 속지 마!

"내부 인테리어는 정말이지 마음에 듭니다. 하지만⋯."

"하지만? 뭐 마음에 안 드는 부분이 있으신가요? 허

심탄회하게 말씀하세요. 최대한 맞추도록 노력할 테니까
요."

"그게. 그러니까…. 제가 좀 조사를 했거든요…. 홍민
빌라에 대해서…. 그런데 신문 기사에…."

"아, 그거 말씀하시는구나. 여기 3년 전에 불난 거 말
씀하시는 거죠?"

"네. 맞습니다."

"그래서 여기가 주변 시세보다 30%나 싼 겁니다. 그
리고 내부 인테리어도 이렇게 빠까뻔쩍하게 한 거고요.
아무래도 입주하시는 분들에게는 좀 찜찜은 하겠죠. 그
래서 화재 대비 경보장치도 최고급으로 설치를 했습니
다. 그러니 그 부분은 안심하셔도 될 겁니다."

"그런데 그게 방화라고 그러던데…."

"하하하, 남편분이 되게 꼼꼼하신 분이시구나! 우리 흥민빌라 기사를 면밀히 다 검토하셨는가 보네요."

"맞습니다. 재가 재수가 없어가지고…. 하필이면 성범죄자를 모르고 들였지, 뭡니까…. 여기 404호에. 글쎄…. 전자발찌 찬 거를 못 본 겁니다. 글쎄…. 그런데 또 하필이면 때마침 옆집에 신혼부부가 이사를 온 거죠. 그러니 이놈이 환장한 겁니다. 그래서 그렇게 된 겁니다. 옆집 남편이 야근하는 동안 그 불쌍한 아내를 덮친 거죠. 그것도 임신한 여자를…. 그러고는 겁이 나니까 불을 지르고 도망을 간 겁니다. 그놈이…. 모두 제가 부주의한 탓이었죠. 송구스럽게도."

야! 저 시발새끼가 하는 소리 들었지? 응? 야! 인마! 너가 건드렸잖아! 저 능지처참을 해도 시원찮을 놈! 너가 일부러 싼 값에 신혼부부 꼬드겨 들였고, 내가 전자발찌 찬 거 다 알고도 일부러 옆집에 들였잖아! 불도 너가 냈잖아! 이 더러운 새끼야! 너가 그러고도 인간 새끼야? 응!

아, 나도 분통이 터져서 말이 안 나온다. 떨리기도 하고. 저런 새끼가 아직도 우리 사회에 멀쩡히 살아 호의호식하고 있으니…. 내가 죽어도 이렇게 구천을 떠도는 거 아냐!

하! 그러니 내가 속이 터지고 한이 맺혀서 이 집을 떠나지 못하는 거야. 저 대리인 사이코패스가 이 집만 그런 게 아니야! 강인 빌라 노처녀 투신자살, 민재 빌라 중년 여성 실종, 인범 빌라 여고생 피살, 재성빌라 신혼부부 일산화탄소 중독사, 우영 빌라 여중생 가출 후 변사 사고까지 모두 저놈 소행이야! 저놈이 한 짓이라고!

"그런데 말입니다. 제가 알아본 바로는 404호와 504호에서 여러 구의 시체가 나왔다고 그러던데?"

"네, 맞습니다. 기사에 실린 그대로입니다. 여기 404호에 살던 조필호라는 놈과 504호 서출호가 그냥 단순 성범죄자가 아니었던 거였어요. 필리핀과 동남아 일대를

오가던 조직 폭력배로…. 각종 음란물 사이트, 도박 사이트를 운영하며 떼돈을 벌었던 거 있죠…. 저는 감쪽같이 속았지 뭡니까? 그리고 여기를 사설 교도소로 만들어서 운영했던 거예요. 정말이지…. 상상도 못 할 일이었죠."

"그래서 그 조필호와 서출호는 잡혔는가요?"

"아뇨, 아직 못 잡았어요. 여기 불 지르고는…. 소문으로 듣기로는…. 중국으로 밀항했다는 소리가 있더라고요."

저런! 쳐 죽일 놈 새끼! 뭐! 중국으로 밀항을 해? 너가 우리를 죽여 여기 404호 천장에 시멘트로 처발랐잖아! 어! 여기 흥민빌라 404호! 맷돌로 질근질근 갈아 먹어도 시원찮은 놈아!

****

빛이 흘러나오고 있다. 영롱한 빛. 밝음. 아침이 오는가 보다. 행복한 일이지. 빛은 항상 우리에게 뭐랄까? 사랑, 기대, 따스함 같은 거를 주는 거잖아? 그렇지?

하지만 나는 사실 어둠을 좋아해. 왜냐고? 이유는 잘 모르겠어. 그냥 그런 거야. 그렇게 태어났다고 할 수 있지. 마치 부엉이나 쥐처럼. 그냥 어둠에 편안함을 느껴. 하지만 그렇다고 아침을 거부하지는 않아. 왜냐하면…. 아침이 와야 사람들이 활동을 시작할 거고 그래야 거리가 시끌벅적해질 거고 그래야 그들을 째려보는 흥미가 생기거든.

그럼 너의 취미는 <인간 감시> 인 거야?

그렇지. 그런데…. 가만히 있어 봐…. 내가 이 얘기 너에게 하지 않았나?

아니. 한 적 없어. 정말이야. 아무것도 기억이 나지 않아. 처음 듣는 거야.

아 그렇구나. 그렇겠지. 텅 비었으니 그럴 수밖에 없겠지. 그냥 느낌만 있는 거지?

그래. 친구야. 계속해. 너의 이야기. 언제 들어도 좋아.

<끝>

NOVELIST

NAM KING

그레고리 흘라디의 묘한 죽음

남킹

남킹 컬렉션 #001

남킹 컬렉션 #002

거짓과 상상
혹은
죄와 벌

남킹 장편소설

신의 땅 물의 꽃

남킹 장편소설

남킹 컬렉션 #003

심해
DEEP
SEA

남킹 SF 장편소설

남킹 컬렉션 #004

남킹 컬렉션 #005

당신을 만나러 갑니다

남킹 사랑 이야기

블루 드래곤
744

남킹 대본집

남킹 컬렉션 #006

파벨 예언서

떠오르는 위협

남킹 장편소설

남킹 컬렉션 #008

떠날 결심

남킹 미니픽션

남킹 컬렉션 #009

리셋
Reset

남킹 SF 소설집

남킹 컬렉션 010

남킹 컬렉션 #011

1월의 비

남킹 감성 소설집

남킹 컬렉션 #012

남킹의 문장 1

언어의 마법사 남킹의 문장들

남킹 컬렉션 #013

남킹의 문장 2

언어의 마법사 남킹의 문장들

남킹의 문장
3

언어의 마법사 남킹의 문장들

남킹 컬렉션 #014

남 킹 판타지 소설집

하니은 매화

남 킹 컬렉션 #015

남킹 컬렉션 #16

남킹의 문장
4

남킹 컬렉션 #018

천일의 여황제

세빈의 남자

남킹 판타지 소설

남킹 컬렉션 #019

이방인

남킹 장편소설

거리를 비워두세요

남킹 음악 에세이

남킹 컬렉션 #020

사랑 그 쓸쓸함
에 대하여

남 킹 음악산문

남킹 컬렉션 #021

남킹의 문장 1
브런치 스토리

남 킹

남킹 컬렉션 #022

앞리칸테는

언제나 맑음

남 킹 에 세 이

남킹 컬렉션 #023

길에 내리는 빗물

남 킹 소 설 집

남킹 컬렉션 #024

서글픈 나의 사랑

남 킹 장편소설

남킹 컬렉션 #025

남킹 SF
소설집

브런치 스토리

남킹 컬렉션 #026

브런치 스토리

남킹 사랑 소설집

남킹 컬렉션 #028

남킹 스토리 2

브런치 스토리

남킹 컬렉션 #030

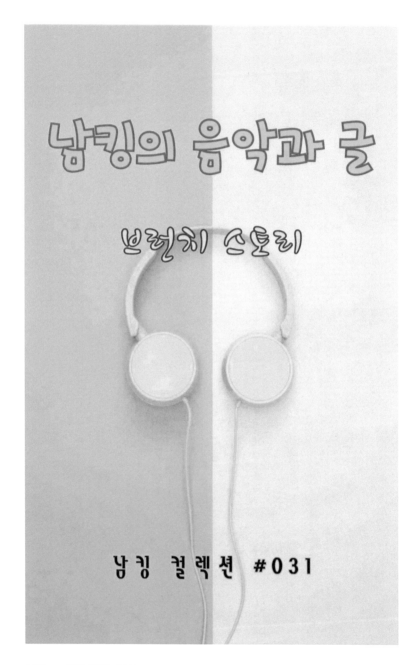

남킹의 음악과 글

브런치 스토리

남킹 컬렉션 #031

눈물이 당신의
볼을 타고
브런치 스토리

남킹 컬렉션 #033

시시포스

브런치 스토리

남킹 소설집

남킹 컬렉션 #034

남킹 장편소설
미리보기

그리고 리훌라디의 묘한 죽음

스네이크 아일랜드

거짓과 상상 혹은 죄와 벌

신의 땅 물의 꽃

파벨 예언서

심해

천일의 여황제

이방인

남킹 컬렉션 #035

죽이고 싶지만
섹스는 하고 싶어

남킹 범죄 소설집

남킹 컬렉션 #036

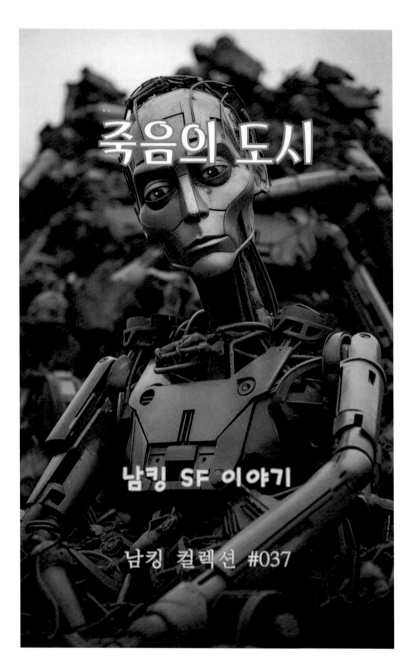

죽음의 도시

남킹 SF 이야기

남킹 컬렉션 #037

제나로 알려진 노금희

남킹의 기이한 이야기

남킹 컬렉션 #038